O REI DA
TERRA
DO NUNCA

CB008198

NIKKI ST. CROWE

O REI DA TERRA DO NUNCA

VICIOUS LOST BOYS – 1

São Paulo
2025

Grupo Editorial
UNIVERSO DOS LIVROS

Diretor editorial
Luis Matos

Gerente editorial
Marcia Batista

Assistentes editoriais
Letícia Nakamura
Raquel F. Abranches

Tradução
Flávia Yacubian

Preparação
Nathalia Ferrarezi

Revisão
Nilce Xavier
Tássia Carvalho

Arte e Capa
Renato Klisman

Dados Internacionais de Catalogação na Publicação (CIP)
Angélica Ilacqua CRB-8/7057

N767r

Crowe, Nikki St.
O rei da Terra do Nunca / Nikki St. Crowe ; tradução de Flávia Yacubian. -- São Paulo : Universo dos Livros, 2023.
208 p. (Série Vicious Lost Boys, 1)

ISBN 978-65-5609-374-1
Título original: *The never king*

1. Ficção norte-americana 2. Literatura erótica
I. Título II. Yacubian, Flávia

23-2062 CDD 823

Universo dos Livros Editora Ltda.
Avenida Ordem e Progresso, 157 — 8º andar — Conj. 803
CEP 01141-030 — Barra Funda — São Paulo/SP
Telefone: (11) 3392-3336
www.universodoslivros.com.br
e-mail: editor@universodoslivros.com.br

Para todas as garotas
que tiveram de crescer
rápida e dolorosamente.

ANTES DE COMEÇAR A LER

O rei da Terra do Nunca é uma versão reimaginada de *Peter Pan* na qual todos os personagens foram envelhecidos para ter dezoito anos ou mais. Este não é um livro infantil e os personagens não são crianças.

Certos conteúdos deste livro podem funcionar como gatilhos para alguns leitores. Se quiser ficar inteiramente a par da sinalização de conteúdos em minhas obras, por favor acesse meu website: <https://www.nikkstcrowe.com/content-warnings>

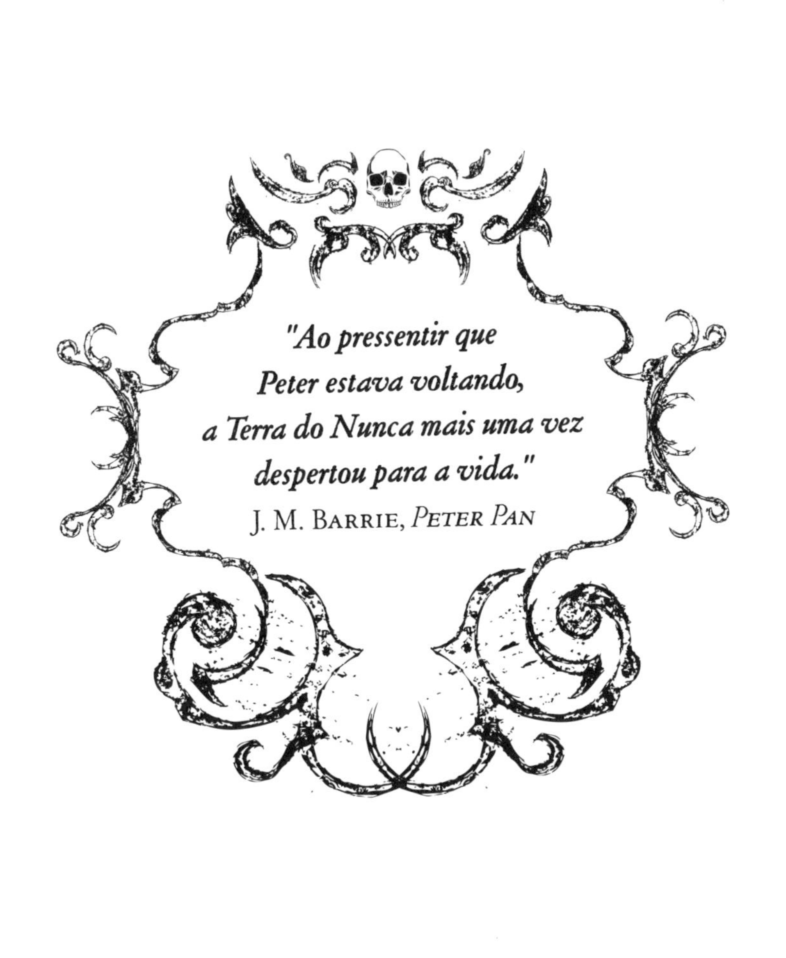

"Ao pressentir que
Peter estava voltando,
a Terra do Nunca mais uma vez
despertou para a vida."

J. M. BARRIE, *PETER PAN*

1
WINNIE DARLING

HÁ DOIS ANOS NÃO FREQUENTO UMA ESCOLA NORMAL, MAS, mesmo assim, cá estou eu trepando com a estrela do time estudantil de futebol americano no banco traseiro de uma SUV.

Ele é ruim de cama. Magnífico em campo.

Se ao menos eu gostasse de futebol em vez de gostar de sexo...

Anthony mete dentro de mim e eu faço cara de atriz pornô porque sei que ele gosta.

Finjo gozar ao mesmo tempo que ele.

Não sou atriz pornô, mas sou filha de uma prostituta, então tô quase lá.

— Ah, porra, Winnie. Porra. Ai, gostosa. — Ele não tem pegada, com aquela mão frouxa e suada. E treme, igual a um menininho, que é mesmo o que ele é.

Temos a mesma idade, mas décadas nos distanciam.

— Porra — ele geme enquanto sopra ar quente sobre meu peito nu. — Que delícia, né?

A falta de confiança é detestável. Acho que nunca transei com um cara confiante.

Talvez não.

Talvez só sejam confiantes na lábia.

— Que delícia, gata. Você é tão boa nisso.

E também sou ótima mentirosa.

Ele sorri para mim enquanto eu continuo a cavalgá-lo. Ele se estica e me beija na boca.

Não sinto nada além de uma dor fraca pelo corpo e a cabeça explodindo atrás dos olhos.

Estou morta por dentro.

E entediada pra caralho.

Só me resta aguardar para ser sequestrada por um mito.

Que bosta de aniversário.

Anthony fecha o zíper dos jeans e me leva para casa.

Olho pela janela da SUV, que voa pelo meu bairro.

Quando ele estaciona na calçada, vou abrir a porta e sou interrompida por uma tentativa de beijo.

Não tô a fim, mas acabo cedendo.

— Você vai à festa no fim de semana? — pergunta ele, mais esperançoso do que eu gostaria.

Quando você é muito dada ao sexo, sempre é convidada para as festas. Tantas festas. Todas iguais. Mas eu gosto da familiaridade. Rotina é algo que sempre me faltou na vida.

— Me manda uma mensagem — digo, porque não sei onde estarei neste fim de semana.

Hoje é meu aniversário de dezoito anos, e todas as mulheres Darling antes de mim desapareceram nessa data.

Algumas sumiram só por um dia; outras, por uma semana ou um mês.

Mas sempre retornam destruídas, com graus variados de sanidade.

Não quero ficar louca. Gosto de quem sou, pelo menos a maior parte.

Quando entro pela porta lateral, minha mãe aparece do nada.

— Por onde você andou, Winnie? Achei que ele já tivesse te levado e... — A atenção dela é desviada para a janela mais próxima, cuja fechadura ela testa.

Minha mãe murmura para si mesma.

Piratas, Garotos Perdidos e fadas.

E ele.

Não ousa falar o nome dele quando está acordada, mas à noite, em seus sonhos, acorda gritando seu nome.

Peter Pan.

Minha mãe foi hospitalizada sete vezes. Dizem que é esquizofrênica, como minha avó, minha bisavó e todas as mulheres da família Darling que vieram antes dela.

Um legado de loucura que estou na fila para herdar.

— Winnie! — Mamãe corre até mim, suas mãos esqueléticas agarram meus punhos. Olhos arregalados. — Winnie, o que está fazendo? Vá para o quarto! — Ela me empurra pelo corredor.

— Tá de dia ainda. E tô com fome.

— Eu pego alguma coisa para você... quando *ele*... ok, me escute. — Seu olhar divaga, e ela faz uma careta para si mesma. Solta meus braços e sinto um frio na barriga.

Por favor, pelo amor de todos os deuses, não quero acabar como ela.

— Ele tá chegando! — ela grita.

— Eu sei. — Uso minha voz acalentadora. — Eu sei que está, mas você deixou essa casa mais segura que um *bunker*. Ninguém vai entrar.

— Ah, Winnie. — Sua voz está agoniada. — Ele consegue entrar em qualquer lugar.

— Se ele entra em qualquer lugar, para que trancar as janelas? Para que ficar no quarto?

Ela me empurra porta adentro, ignorando a lógica.

O "quarto especial" é uma obra conduzida pelo terror. Dá para ler o desespero nas pinceladas grosseiras que parecem uma pichação. Símbolos rúnicos, pintados na parede e talhados na madeira da soleira.

Xamãs, bruxas e sacerdotes vudu desfilaram pelas nossas casas vendendo segredos de proteção contra *ele*.

Não temos dinheiro para isso, mas gastamos mesmo assim.

— Vou pegar alguma coisa para você comer — diz mamãe. — O que você quer?

— Eu pego...

— Não! Eu pego. Fique no quarto. Fique no quarto, Winnie!

Ela corre para o corredor, o vestido branco translúcido flutuando atrás de si — parece um fantasma. Segundos depois, panelas se chocam na cozinha, embora eu tenha certeza absoluta de que não tem nada para cozinhar.

Esta casa em que moramos é a número 19.

Eu sei o número de casas, mas não me lembro da maioria. E, quando suas paredes se confundem, é difícil se sentir em casa.

Mamãe disse que queria despistá-lo — Peter Pan — mudando sem parar. Viajamos com poucas malas. Tenho duas bolsas e um baú que herdei de minha tataravó, Wendy. Por fora, é menor do que parece e duas vezes mais pesado do que deveria.

Não consigo me livrar dele.

É basicamente o único objeto que temos de valor, o único que parece real.

Nossa casa atual é da época vitoriana, caindo aos pedaços, com paredes de gesso, chão de madeira desgastado e muitos cômodos vazios. Não temos nem sofá. É difícil mudar móveis.

Caio no colchão inflável enfiado num canto do meu quarto especial e encaro o teto onde o grafite foi feito com sangue. Isso foi da bruxa de Edimburgo, que disse que só sangue funcionaria.

E tinha que ser o meu.

Talvez todo mundo seja doido, cada um a seu modo.

Mamãe prepara um sanduíche de pasta de amendoim com geleia, acompanhado de um copo de água.

Ela me observa comendo, assustadiça a cada rangido da casa.

— Me fala mais sobre ele — peço enquanto retiro a casca do pão de forma e engulo como um fio de macarrão.

Ela se encolhe.

— Não consigo.

— Por que não?

Mamãe bate o dedo indicador nas têmporas.

Pelo que entendi, ela acha que algum tipo de magia a impede de falar dele em detalhes, então só sei informações incompletas. Ela me conta que a magia diminui nas luas novas, mas estamos prestes a virar lua cheia.

É a maré e a lua cheia que trazem os monstros. Os lobos e as fadas e os Garotos Perdidos. Foi isso o que ela contou.

— O que você *consegue* contar? — pergunto.

Encolhida no canto do quarto, em sua caminha, com os joelhos junto ao peito, ela pensa por alguns segundos. Imagino que um dia tenha sido linda, mas não conheço nada dela além da loucura. O cabelo é preto e grosso, como o meu, mas começou a afinar por causa da medicação. A pele é avermelhada, e as bochechas, encovadas.

As unhas são rachadas, e há olheiras sob os olhos. Ela não trabalha mais. Recebe pensão por invalidez, que mal paga as contas. E, quanto mais isolada fica, pior.

— Me lembro da areia — diz ela, sorrindo.

— Da areia?

— É uma ilha.

— Que ilha?

— Ele vai te levar para uma ilha.

— É onde você foi?

Ela faz que sim.

— A Terra do Nunca é linda, à sua maneira. — Ela abraça as pernas e se curva ainda mais. — Tudo é mágico, tanta magia que dá para sentir na pele, na língua. Como madressilva e amora. — Ela ergue a cabeça com olhos arregalados. — Eu sinto falta das amoras. Ele sente falta da magia.

— Quem? O Peter Pan?

Ela faz que sim.

— Ele está perdendo o poder sobre o coração da ilha e acha que nós podemos curá-lo.

— Por quê? — Rasgo um canto do sanduíche e o aperto até virar uma panqueca fina. A geleia escorre pela borda. Estou tentando prolongar a refeição e enganar meu estômago.

Mamãe repousa a cabeça sobre os joelhos.

— Quebraram a promessa — murmura. — Quebraram a promessa que fizeram para mim.

— Que promessa?

— Não sei como impedi-lo — ela sussurra, ignorando-me. — Não sei se é o suficiente.

— Vai ficar tudo bem — asseguro. — Não estou preocupada.

Nada disso é real.

Exceto pela loucura.

E é *isso* que me preocupa.

Será como um interruptor? Num minuto, sã; no outro, não?

A ideia de ficar louca me assusta mais do que esse bicho-papão.

Quando mamãe pega no sono, saio de mansinho do quarto.

Uma tempestade tinha iniciado e raios faiscavam pela janela, aumentando as sombras na velha casa vitoriana.

Vou ao banheiro do corredor e me encaro no espelho.

Não me reconheço. É como olhar para uma estranha. Às vezes, temo que, se tentar alcançar meu reflexo, não haverá nada lá.

Estou começando a me parecer com ela.

Encovada. Exausta.

Não quero ficar louca.

E estou tão, mas tão *cansada.*

Meu cardigã escorrega pelo ombro e vislumbro uma cicatriz enrugada. Ela combina com as runas do teto.

Puxo a manga.

O armarinho está sem uma das portas, então o lado esquerdo deixa à mostra vários frascos de remédio enfileirados.

Fique à vontade.

Não quero ficar louca.

Pego o frasco de ibuprofeno. Já tomei tantos ao longo dos anos que quase não fazem mais efeito.

Ouço um rangido além do corredor.

Largo o frasco de volta.

Um raio brilha pela casa outra vez, acompanhado do estrondo de um trovão.

Quando a trovoada se encerra, ouço uma porta bater.

Mamãe.

Saio correndo pelo corredor e entro de novo no quarto, mas ela ainda está dormindo pesado no catre.

Sinto que meu coração vai sair pela boca.

Outra tábua range.

Talvez alguém tenha invadido, pensando que a casa estava abandonada? Mal conseguimos pagar o aluguel, muito menos outras contas, então é raro acendermos as luzes de noite.

Lentamente, fecho a porta atrás de mim e a tranco. Não temos nenhuma arma, nada de uso prático. Gastamos todo o nosso dinheiro em magia inútil.

Prendo a respiração e aperto os dentes.

A maçaneta gira.

Devagar, eu me afasto.

Já começou? Já perdi a cabeça?

Outro trovão racha o firmamento.

A fechadura se abre, como mágica, e uma bota empurra a porta para dentro.

As dobradiças rangem.

Olho para mamãe outra vez. Será que suas histórias eram mesmo verdadeiras?

Não pode ser.

Ou pode?

Mamãe se remexe, acordando.

— Querida, que horas são?

— Shhhh. — Corro para o lado dela e a sacudo.

Mas é tarde demais. Ele entra e preenche o vazio.

Não consigo respirar.

O som inconfundível de um isqueiro sendo aberto, da rodinha de metal girando. A chama se acende, iluminando seu rosto, enquanto acende um cigarro.

Anéis prateados em seus dedos refletem a chama. Tatuagens escuras cobrem-lhe as mãos. Faixas de couro e barbante amarradas nos punhos. Ele é alto, tem ombros largos e usa um casaco comprido de colarinho duro e levantado até o maxilar delineado. Embora o corpo esteja escondido sob o casaco, dá para ver que é musculoso, apenas pela sugestão de seus bíceps.

Quando afasta o cigarro da boca, não consigo evitar, com um olhar rápido, o tracejo de veias que circundam seus dedos.

Ele expele a fumaça com uma respiração forte.

— Meredith, há quanto tempo.

Atrás de mim, minha mãe fica sem fôlego.

Isso está acontecendo mesmo?

— Você não vai levá-la! — grita ela.

— Como se você pudesse me impedir.

Meu coração salta até a boca.

— Por favor — pede mamãe.

Ele sorve o cigarro intensamente, as fagulhas queimando. Ouço o tabaco se despedaçar enquanto a fumaça serpenteia à frente de seu rosto.

Uma sensação gostosa agita meu peito, o que me provoca culpa instantânea.

Sinto-me acordada como não me sentia havia anos.

Não devia estar sentindo nada além de temor neste instante.

É real. Mamãe falou a verdade.

— Por favor — repete mamãe.

— Não temos tempo para súplicas, Merry.

Ele dá um passo adiante. Cadê a magia da soleira?

Engulo em seco, tentando acalmar meu coração.

Num piscar de olhos, ele se aproxima. Agarra-me pelo tecido do meu vestidinho e me puxa até eu ficar de pé.

— Podemos fazer da maneira fácil ou difícil, Darling. Qual será?

Engulo em seco outra vez, tentando desfazer o nó na garganta.

Ele me observa, observa minha língua sair e lamber os lábios.

A sensação gostosa desce pelo meu corpo, e a culpa se espalha, fria.

É a lenda urbana da minha mãe em pessoa, e não sei como reagir.

— Você tem três segundos para decidir — ele avisa.

Não demonstra irritação, mas eu pressinto mesmo assim. Como se já tivesse tido essa conversa um milhão de vezes e sempre ficasse decepcionado com o resultado.

Minha mãe se levanta e começa a bater no punho dele, mas ele é rápido, até demais — solta o cigarro e agarra minha mãe pela garganta.

— Não — fala calmamente. — Não torne as coisas mais difíceis do que precisam ser. — Ele se volta para mim. — Vamos, Darling. — Então se aproxima do meu rosto, dentes brilhantes sob o luar. É quase bonito demais, um sonho.

Talvez eu já esteja louca.

E, se estou, tanto faz.

— Estou esperando — ele fala.

— A fácil, é óbvio.

Ele arqueia as sobrancelhas, divertindo-se.

— Óbvio?

— Por que eu escolheria a maneira difícil?

Minha mãe percebe que perdeu a luta e para de brigar.

— Primeira lição — diz ele —, não há maneira fácil. — E se volta a mamãe: — Vou devolvê-la, Merry. Você sabe que elas sempre voltam.

Então, larga minha mãe, estala os dedos e tudo escurece.

2

PETER PAN

COM UMA DARLING SOBRE O OMBRO, DEMORO O DOBRO DO tempo para retornar à Terra do Nunca e à casa na árvore.

Ela, leve como uma pluma. Seus ossos da costela, salientes a ponto de doer.

Esta Darling não está bem.

Talvez seja um indício de que será mais fácil penetrá-la.

Não é o peso dela, no entanto, que dificulta o caminho, é a mudança entre os dois mundos e minha magia, que esvanece.

Sobra-me muito pouco.

Tem de ser ela.

Não sei o que acontecerá se não for.

Eu sou esta ilha. Ela não sobreviverá sem mim.

Quando entro pela porta da frente, que está aberta, os Garotos Perdidos me aguardam.

Perdi as contas de quantos são agora e não lembro o nome de metade deles, mas os que importam me esperam na galeria abaixo do dossel da Árvore do Nunca.

Levo a Darling pela escadaria larga, apoiando-me no corrimão para não cair. As lanternas de ferro tremeluzem de seus ganchos.

Estou morto de cansaço.

Entro na galeria e encontro Vane no bar e os gêmeos no corredor. Folhas caem dos galhos da Árvore do Nunca, que fica cada dia mais rala.

Ela está morrendo.

Pequenas pixies emitem uma luz amarela entre as folhas restantes, e, sempre que vejo esse brilho, lembro-me da Tinker Bell e fico bravo outra vez.

— O quarto está pronto? — pergunto aos garotos.

Kas acena que sim, avaliando a Darling, cujos braços inertes estão pendurados atrás de mim.

Os gêmeos me seguem pelo corredor até o quarto livre. Vane não vem; só quer saber de fazer as Darling chorar.

Há uma lanterna acesa sobre a mesa ao lado da janela aberta, que permite a entrada da brisa oceânica.

Deito a Darling na cama. O estrado nem sem abala.

Bash pega o punho da garota e fecha a algema de metal presa a uma corrente parafusada na parede.

Caio na poltrona e puxo do bolso a caixinha de ferro que contém meus cigarros; acendo um com o isqueiro. As chamas dançam na escuridão. Dou uma tragada. A chama se realça, e o tabaco crepita.

Quando a fumaça enche meus pulmões, sinto-me levemente melhor.

— Como ela se comportou? — pergunta Kas.

Se um de nós possui um coração mole, este alguém é Kas.

— Mais teimosa do que eu gostaria.

Bash está apoiado na parede ao lado da porta, e a luz do corredor ilumina seus contornos de um dourado trêmulo.

— E a Merry?

O ar oceânico se resfria. Encosto a cabeça no espaldar da poltrona.

— Tão louca quanto antes.

O cigarro queima até a ponta. Fecho os olhos enquanto o sol surge na linha do horizonte.

Quanto mais perto, mais a mágica se esvai.

Não sou nada à luz do sol.

Nada — apenas cinzas.

— Fiquem de olho nela — ordeno ao me levantar e caminhar até a porta. — Mas sem encostar.

— Conhecemos as regras — diz Bash, irritado com as ordens. Mas Bash sempre adorou coisas bonitas, e esta Darling é a mais linda de todas.

— Nada de comer as Darling — digo, só para garantir.

É a única regra que temos.

Não comemos as Darling porque comer uma Darling foi o que nos colocou nesta merda.

Não fodemos as Darling.

Só as destruímos.

3
WINNIE

Quando acordo, tenho a mesma sensação de quando peguei no sono no carro velho da minha mãe enquanto ela cruzava seis estados.

Não estou onde deveria estar, tudo dói, e nada é como antes.

Primeiro, escuto as gaivotas.

Há sete anos não moramos no litoral, mas o grito delas remexe em lembranças de areia cobrindo o chão, som de ondas e cheiro de capim de praia.

Sempre amei a água. Ela me faz feliz.

Ouço uma respiração que não é a minha.

Quando abro os olhos, vejo um garoto me encarando.

Não, não é bem um garoto. Tem a aparência jovem, mas é um homem.

Cabelos pretos e compridos, presos em um coque. Olhar afiado, que reluz ao me observar. A pele é da cor de uma lua de sangue, e as tatuagens pretas cobrem o peito nu. Todas as linhas são precisas e simétricas em ambos os lados do corpo. Começam no pescoço e descem em um labirinto, desaparecendo abaixo da cintura do jeans escuro e rasgado.

É a imagem de uma virilidade sombria.

— Bom dia, Darling — diz ele.

— Onde estou? — Eu me sento e só então percebo minha algema.

Que safadeza.

— É para te proteger — diz ele, acenando para a corrente.

— Proteger do quê?

— De sair andando por aí. — Sorriso irônico. Lábios cheios e carnudos.

— Acordou? — outra voz surge do corredor.

Sigo o som e meu cérebro congela.

Estou vendo duplicado.

Só que os cabelos deste duplo são bem mais curtos e ondulados. As tatuagens são idênticas, até onde posso perceber. Ele usa uma camisa.

— Antes que pergunte — diz o segundo —: sim, está alucinando.

O primeiro resmunga:

— Não zoa a menina, Bash. Ela já vai ter sua cota disso mais tarde.

O que se chama Bash se aproxima.

— Como está se sentindo, Darling? Às vezes, a jornada até aqui é pesada para uma garota.

Minha garganta está seca, a língua parece uma lixa. Estou um pouco nauseada e confusa, mas, de resto, estou bem.

Exceto pelo fato de que fui sequestrada por alguém que pensava ser um mito ou uma ilusão e agora estou presa a uma cama perto do oceano. Lá em casa, o oceano mais próximo estava a centenas de quilômetros de distância.

Para onde me trouxeram?

— Estou bem — respondi.

— Água? — aquele ao lado da cama pergunta.

— Sim, por favor.

Minha mãe me preparou a vida inteira para este momento, às vezes das maneiras mais dolorosas, e não foi o suficiente.

Ela literalmente me falou que isso aconteceria e, agora que aconteceu, ainda não dá para acreditar.

É real? Ou é assim que a loucura começa?

A cama me parece bem real. O ar quente tropical também. O espaço ocupado pelos garotos, a energia que preenche o quarto — muito, *muito* real.

Há algo mais potente nesses dois do que em qualquer garoto com quem já convivi, e olha que foram muitos.

Meninos bonitos sempre fazem o tempo passar mais rápido. E eu odeio tédio. Mas, sobretudo, odeio ficar sozinha.

Bash desaparece por uma porta do outro lado do quarto e volta com um copo de água. A condensação já surge no vidro.

As gaivotas voltam a gritar.

Ouço as ondas batendo contra rochas a certa distância.

Bebo a água — fresca, o copo de água mais refrescante da minha vida — e observo ao redor.

Estamos em um quarto grande, com paredes de gesso descascando, que aparentam um dia terem sido pintadas de um tom forte de esmeralda. Há três janelas retangulares à minha direita, com venezianas de madeira abertas. Não há cortinas. A luz jorra para dentro. Lá fora, vejo os galhos de uma palmeira e, abaixo, uma árvore cheia de flores vermelhas.

Estou em uma cama de madeira grossa e um colchão de penas. O lençol é branco, limpo. Sem cobertor.

Uma poltrona com recosto alto fica no canto, com um abajur comprido logo atrás e uma mesinha.

Seria um ótimo lugar para sentar e ouvir as gaivotas, se eu não estivesse acorrentada à cama.

Devolvo o copo. O garoto o coloca no chão. Ele deve estar sentado num banquinho ao lado da minha cama, porque sem dúvida está sentado, mas não enxergo cadeira.

— O que estou fazendo aqui?

Os dois se entreolham, e tenho a certeza de ouvir sinos tocando ao longe.

Caramba. Estou mesmo ficando doida.

— O quanto sua mãe te contou? — pergunta Bash.

— Não muito.

Ontem à noite foi a primeira vez que ela me deu alguma informação útil.

O bicho-papão da minha mãe acha que eu, por ser uma Darling, posso consertá-lo.

O que eu poderia fazer por ele? Mal dou conta da minha própria vida.

Bash se apoia na parede atrás do gêmeo, um eco sinistro do outro.

Já estudei com gêmeas, lá em Minnesota.

As gêmeas Wavey. As menininhas mais chatas e irritantes que já conheci. Usavam o fato de serem idênticas para se livrarem de tudo. Até mesmo colocar minhoca no meu lanche.

Será que eles também são assim?

Cheiram a encrenca. O tipo errado de tentação. Como uma rã minúscula e coloridinha que pode te matar.

Eu acredito que todo mundo tem um superpoder, algo em que sejam naturalmente bons. O meu é ler as pessoas. Saber que tipo de pessoa cada sujeito é antes que sequer abra a boca.

Preciso tomar cuidado com esses dois para sobreviver aqui.

Seja lá o que *aqui* signifique.

— Meu nome é Kastian — disse o gêmeo mais próximo. — Pode me chamar de Kas. — Ele aponta com o polegar por cima do ombro exposto. — Esse é o meu gêmeo, Sebastian.

— Bash — diz o outro gêmeo.

— Oi — eu cumprimento.

— Somos os bonzinhos — diz Bash, afastando-se da parede. Ele se senta na ponta da cama, e o estrado range sob o peso. Embora esteja vestido, percebo sob o tecido que ele é talhado da mesma forma que o irmão: músculos e ossos.

Eu já fiquei sozinha em quartos escuros com vários homens, mas nenhum como os gêmeos.

Poderiam fazer o que quisessem comigo. Resistir seria como lutar contra o oceano — inútil.

Mas por que eu resistiria?

Eles pareciam ser uma bela de uma cavalgada.

Lambo os lábios e as narinas de Bash se inflam quando sua atenção vai até minha boca.

Quando se cresce em meio a prostitutas, dá para aprender alguns truques.

O meu são as iscas.

— Se são os bonzinhos, cadê os malvados?

Eles se entreolham.

— Peter Pan? — chuto.

— Mais malvado do que nós — admite Kas.

— Mas não o mais malvado — acrescenta Bash.

— Então, quem...

Passos ressoam no corredor. Os gêmeos suspiram quase em uníssono.

Bash coça a nuca.

— Prepare-se, Darling.

— Para quê?

Meu coração acelera. Tem mais?

Os passos se aproximam, a batida de uma sola gasta, a marcha de alguém em missão, focado.

Quem é mais malvado que Pan? Minha mãe nunca contou sobre os outros. Nunca perguntei.

Quando ele obscurece a soleira, fico sem ar.

Não é tão musculoso quantos os gêmeos, mas é bem mais sinistro.

A cicatriz. Os olhos.

Três cicatrizes compridas cortam seu rosto em diagonal, da testa ao maxilar.

Elas mudaram o olhar dele.

Um olho é violeta. O outro é preto.

Fico arrepiada, apesar do calor.

— A Darling acordou — diz o recém-chegado com uma voz fria e distante. Ele se aproxima de Bash e rouba seu último cigarro, prende-o entre o dedão e o indicador, e dá uma tragada. Quando fala, ainda não exalou, então a voz está presa pela fumaça nos pulmões. — Já começou a chorar?

Kas franze o cenho.

— Algo me diz que será mais difícil destruir essa Darling.

— Todas podem ser destruídas — o malvado fala, encarando-me com olhos desconcertantes.

Automaticamente, eu me viro, meu corpo aflito com uma sensação de pavor. Tento me retrair.

Mamãe disse que havia magia aqui.

Que tipo de magia é essa? Eu não me *encolho*. Não é do meu feitio.

— Vane — diz Bash —, precisa disso mesmo? Ela acabou de acordar.

O suor escorre pela minha testa, e o medo parece que vai jorrar pela minha boca.

O grito está na base da minha garganta.

O que está acontecendo?

— Deixa de ser babaca — diz Kas.

O malvado — Vane — termina o cigarro e estreita os olhos para mim, enquanto meu coração ribomba na minha cabeça.

Meu coração acelera, e minha mão fica suada enquanto me agarro ao lençol. Estou inquieta. Quero correr. Lágrimas borram minha visão e depois escorrem.

— Vane — Bash repete com mais intenção.

Como se um fio fosse cortado, o terror desaparece e respiro fundo de alívio.

— Que porra foi essa? — Estou arfando.

— Darling — diz Kas e aponta para Vane com um floreio da mão —, conheça o assustador.

— Quê? — Tento recuperar o fôlego e as lágrimas ainda escorrem. Que porra é essa?

— Falei que todas choram — diz Vane. — Soltem-na. Tragam-na para fora. Não aguento essas Darling idiotas por muito tempo.

Ele desaparece pela porta.

— Vem — chama Kas. — A gente te explica enquanto Bash prepara algo para você comer. Tá com fome?

Meu estômago está enjoado depois do que acabou de acontecer, que nem sei o que foi, mas também está vazio.

Talvez comida ajude.

Algo pode ajudar?

Minha mãe avisou e eu pensei que ela era louca, agora estou pagando o preço.

Kas retira a algema de metal com gentileza. Não vejo chave alguma. Não sei como destrava. A corrente, com a algema presa a ela, fica jogada sobre a cama.

Os gêmeos vão para a porta e me esperam na soleira.

— Prometemos não morder — diz Kas.

— Por enquanto, pelo menos — acrescenta Bash.

4

BASH

Quantas Darling já andaram pelos corredores da casa da árvore?

Perdi as contas.

A essa altura, já estamos no piloto automático, todos os passos viraram rotina, de tanto que já os seguimos. Eu tento apaziguar com comida. Kas finge que não é como o resto, Vane é tão sutil quanto um martelo e aterroriza até conseguir as lágrimas.

Que bom que eu faço panquecas de amora gostosas pra caralho.

A Darling olha tudo ao redor no caminho até a cozinha. Estou distantemente consciente da grandeza em ruínas desta casa. Já tem centenas de anos, construída pela mão de obra de soldados coloniais que sequestramos naquela época em que era mais fácil desaparecer com homens.

Estão mortos agora. Mortais apodrecem. Garotos Perdidos nunca morrem.

Ao cruzarmos o sótão, a Darling está visivelmente curiosa sobre o dossel da Árvore do Nunca.

Quando construímos a casa, cortamos a árvore, mas, no dia seguinte, ela havia brotado de novo, totalmente crescida. Cortamos outra vez. E ela cresceu de novo. Então construímos a casa em volta dela. Agora é o lar de periquitos selvagens e pixies, mas não está bonita.

As folhas estão caindo e a casca, soltando. Outro sinal de que há algo errado com a ilha, e este algo é Peter Pan.

Quando chegamos à cozinha, Kas aponta um dos bancos perto da comprida ilha no centro daquele cômodo enorme. Janelas gradeadas tomam conta de uma parede inteira, cuja vista dá para o oceano. A cozinha sempre foi meu cômodo favorito. Cheia de luz e possibilidades.

A Darling se senta.

Vane aparece e, só de se recostar, já é ameaçador.

Pego a frigideira e as tigelas, os ingredientes necessários, mas sem deixar de analisar a Darling.

Estamos todos cientes do espaço que ela ocupa.

Kas se senta ao lado da garota.

— Qual é seu nome, Darling? — O tamanho dele a apequena. Todos nós poderíamos parti-la ao meio.

— Como se essa merda importasse — disse Vane.

Vane principalmente.

— Para de ser cabaço. — E, para a Darling, Kas fala: — Pode ignorá-lo a maior parte do tempo. Ele sempre está enfezado.

Não. É mais como se ele fosse uma sombra implacável. Mas isso já é demais para a Darling nesse momento. Logo ela saberá mais.

— Me fala — diz Kas, num tom de voz descontraído.

— Winnie — responde ela. — É Winnie Darling.

— Prazer em finalmente conhecê-la, Winnie. Você é filha de Merry, certo?

Ela faz que sim. Um sentimento transpassa seu rosto diante da menção à sua mãe. Derrota, penso eu.

Merry teve um tratamento injusto. Podemos todos admitir isso.

Enquanto misturo os ingredientes, Kas a distrai, jogando conversa fora.

Todos interpretamos nossos papéis, e meu gêmeo sempre foi o guia gentil. Ele é melhor do que nós em se fingir de bonzinho. Parece mais nosso pai nesse sentido. Eu herdei a sede por sangue de nossa mãe.

Não gosto de ver uma Darling chorando, mas adoro vê-las sangrando.

Numa tigela, misturo os ingredientes molhados enquanto Kas conta para Darling no que ela se meteu.

— Estamos em busca de algo que foi roubado de nós — explica ele. — E achamos que você pode nos ajudar a encontrar.

— O quê? — ela pergunta.

Todas fazem a mesma pergunta.

É difícil não se entediar com esta conversa. Quantas vezes mais vamos aguentar?

Kas olha para Vane, que lhe devolve um meneio de cabeça quase imperceptível.

É sempre melhor se a Darling não souber dos detalhes. Não queremos confundir as memórias na cabeça dela antes de enfiarmos nossas garras em sua mente.

— Tudo de que precisa saber — diz Kas — é que estará segura, contanto que siga as regras e coopere.

— E, pela santa paciência, não fuja — acrescenta Vane.

— Por que não? — ela rebate, um certo desafio na voz.

Ora, ora, estou vendo que Vane e ela vão se dar muito bem.

— Porque eu vou te caçar — diz ele com uma inclinação sinistra na voz. — E não vai querer saber o que acontece quando eu te pegar.

Ela treme visivelmente.

Boa garota.

Quanto mais rápido aprender, melhor para ela.

Os olhos do meu gêmeo grudam em mim. Somos capazes de nos comunicar num nível só nosso. Conhecemos um ao outro mais do que a nós mesmos.

Ele está com o cenho franzido.

Também está sentindo.

Algo nela é diferente das outras.

Eu sei, respondo.

Pan sempre teve uma regra sobre as Darling: elas são proibidas para nós.

Temos o suficiente na ilha para não precisarmos nos meter com uma Darling.

Somos os Garotos Perdidos e temos bastante buceta para encontrar.

Vou fazer as panquecas, Kas vai fingir ser amigo dela, Vane ficará mal-humorado no canto e vamos tentar ao máximo nos comportar até o pôr do sol.

Rapidamente, frito uma pilha de três panquecas e coloco num prato para a Darling, depois cubro com manteiga e xarope.

Coloco o prato na frente dela e observo-a dar a primeira mordida.

— Manda ver, Darling — falo. — Duvido que estejam ruins.

Ela olha para a comida, depois para mim, como se estivesse avaliando se fiz algo de errado com a comida.

Winnie já foi sequestrada. Se quiséssemos matá-la, ela já estaria morta.

Ela corta um pedaço com o garfo e, quando coloca na boca, arregala os olhos e solta um gemidinho.

Meu pau percebe, e tenho que lutar contra o ímpeto de me aliviar.

Kas me encara.

Eu sei, babaca, digo.

Panquecas não deveriam ser sexy, porra. Não é como se eu tivesse dado uma tigela de morangos para ela sugar com aquela boquinha linda.

Sempre faço panquecas para as Darling. É tradição.

Na outra ponta do balcão, Vane fica paralisado.

Ela dá outra mordida e fecha os olhos.

Uma gota de xarope reluz nos lábios grossos, e ela arrasta a ponta da língua para limpar, absorvendo a doçura.

Porra!

A sombra de Vane perturba o ambiente e, quando olho para ele, ambos os olhos estão negros.

Estalo os dedos para ele, que pisca e se vira.

— É muito boa — ela fala depois de engolir. — Tipo... muito, *muito* boa.

— É, eu sei — concordo.

Kas se inclina, estica o braço pelo espaldar do banquinho dela e rouba o garfo da mão da garota. Sinto inveja dessa proximidade.

Qual será o cheiro dela?, eu me pergunto.

Segredos e fruta proibida.

Kas dá uma garfada.

— Tá de parabéns, meu irmão — ele fala de boca cheia e pisca para mim, o maldito.

— De onde vem esse azedinho? — pergunta ela.

— Amora — responde Kas.

— E tem amora aqui?

A surpresa dela é uma delícia.

A maioria das Darling já sabia algo sobre nós, sobre a Terra do Nunca. A maioria chega aqui aterrorizada, tremendo. Esta aqui age como se estivesse acordando pela primeira vez na vida.

— Hum, gostei — comenta ela.

— É temporada de amora — explico.

— Oh, ela está aqui! — Cherry fala da soleira da porta.

— Droga. — Vane se afasta do balcão e sai. Não vejo seus olhos. Não sei se controlou a sombra ou não. Cherry é uma boa desculpa para ele ir embora. Ela é totalmente gamada nele, vai saber por quê. Nos melhores dias, ele é um babaca mal-humorado; nos piores, completamente assustador.

Ele detesta Cherry. Detesta a maioria das mulheres que come, mas Cherry principalmente.

— Ela fede como um pirata. — É a frase favorita dele a respeito dela.

Vane desaparece e Cherry corre atrás, desesperada por sua atenção.

Às vezes, sinto pena da pobrezinha. Mas ela fez sua escolha. Todos nós fizemos.

— Dia, Cherry — digo. — Conheça a nova Darling.

Cherry se aproxima da ilha e estende a mão para Winnie.

— Oi! Prazer em conhecê-la.

— Oi. — A Darling larga o garfo e cumprimenta Cherry. — O prazer é meu.

— Estão sendo legais com você? — Cherry quer saber. — Às vezes, eles são meio brutos. A maioria dos Garotos Perdidos é. Foram abandonados pelas mães e…

— Cherry. — Meu aviso fica claro. Kas e eu podemos ser os bonzinhos, mas não hesitaremos em colocá-la em seu devido lugar.

— Desculpe. Quero dizer... — O rosto dela fica vermelho. Ela tem um monte de sardas, nenhuma confiança e pouco poder. Acho que maltratamos a garota nos últimos dois anos. Na verdade, tenho certeza.

— Quer *dizer* o quê? — A Darling nos encara. Ela não tem ideia dos monstros que está querendo caçar. Seu olhar faz muitas perguntas.

— Cuidado, Darling — digo. — Coma sua comida.

O sol está se pondo, e Pan logo vai acordar.

E aí a diversão vai começar.

5

WINNIE

Não me lembro da última vez que alguém cozinhou para mim.

Minha mãe nunca foi de cozinhar e jamais quis aprender.

Uma das minhas babás um dia me levou para jantar fora e me deixou pedir panquecas. Quando contei para ela que era a primeira vez que comia isso, ela não acreditou.

— Como pode você nunca ter comido panqueca? — perguntou ela, esquecida de que eu tinha uma mãe doida e que, sempre que precisava de algo, tinha que fazer por conta própria.

Naquele dia, devorei o prato inteiro e depois paguei caro.

As panquecas de Bash são fofas no centro e sequinhas nas bordas. O xarope é doce e as amoras — também nunca tinha comido na vida — azedinhas, mas deliciosas, como morangos quando estão cítricos.

Dou outra garfada enquanto a menina, Cherry, senta-se ao meu lado.

— Sobrou panqueca?

— Não — Bash responde.

A expressão de Cherry imediatamente fica decepcionada. Ela tem sardas e cabelos castanho-avermelhados, com grandes olhos um pouco próximos demais um do outro. Algo nela me lembra uma bolha prestes a estourar.

Mas estou feliz por ter outra mulher aqui.

Mamãe só mencionou Pan e certamente nunca comentou sobre os Garotos Perdidos.

Não acho que precise me preocupar com Cherry, mas, sem dúvida, ela está desesperada para agradar. Posso usar isso a meu favor num lugar como este.

— Pode comer um pouco da minha. — Empurro meu prato na sua direção.

— Sério? — Ela parece não acreditar.

— Claro. Não preciso de tudo isso.

— Discordo — fala Bash. Ele está com o rosto duro. — Você está pele e osso — acrescenta ele.

Engulo em seco e puxo as dobras do suéter em volta do corpo para disfarçar todas as suas imperfeições.

Ele tem razão. Quando se é pobre e filha de uma mãe louca, a geladeira está sempre vazia, bem como seu estômago. Mas a gente se acostuma. A dor constante na barriga. Certos dias, passar fome é a única sensação real que tenho.

— Se eu comer tudo isso, vou passar mal — explico.

Kas se levanta.

— Posso falar contigo? — dirige-se para o gêmeo.

O olhar de Bash paira sobre mim antes de finalmente sair, seguido pelo irmão.

Acordei acorrentada a uma cama — eles não têm medo que eu fuja? Vane deixou claro que essa ideia seria péssima.

Mas o que acontece depois disso aqui?

Pelo que estão esperando?

— Então — digo, virando-me para Cherry. Ela devorou metade da pilha e agora vai mais devagar, com minha atenção sobre ela. — Me conta o que sabe sobre este lugar. Estes garotos.

Ela faz uma careta.

— Não posso contar.

— Por que não?

A garota engole em seco e morde o lábio.

— É… complicado.

— Eles pegaram você também?

— Não. — Ela sacode a cabeça para enfatizar. — Vim por livre e espontânea vontade — Cherry fala com orgulho.

— De onde?

— Do outro lado da ilha.

Se ela optou por vir, não devem ser tão ruins quanto pensei. Talvez só Peter Pan.

Bem… e talvez Vane.

— Você sabe o que eles estão procurando?

Ela empurra o prato de volta para mim. Está séria. O brilho em seus olhos diminuiu.

— Os Garotos Perdidos são mais velhos do que parecem. E Pan é muito, *muito* mais velho. Mais velho do que eu. O que quer que tenha acontecido, foi antes de eu chegar aqui.

— Como assim? *O que* aconteceu?

Os gêmeos retornam. Bash estala os dedos para Cherry, que sai correndo.

— Termine logo, Darling — diz Kas.

— Por quê?

Há uma porta dupla do outro lado da cozinha com uma varanda e o oceano além. Bash sai por ali e observa.

O sol está se pondo. Não há relógios, então não sei que horas são. Onde eu moro, o sol se põe às oito. Aqui, por algum motivo, parece mais tarde. Talvez seja o ar tropical.

— Porque Pan vai acordar logo — Bash fala virado para a porta. — E vai querer te ver.

Um calafrio percorre minha espinha.

Relembro o mito: o estranho sombrio que apareceu na minha casa ontem à noite e me raptou, bem como minha mãe avisou que ele faria.

A culpa retorna. Eu nunca acreditei nela.

Pois deveria.

6

PETER PAN

ALÉM DE MINHA TUMBA, CONSIGO SENTIR O SOL AFUNDANdo-se na linha do horizonte, as sombras se alongando.

Mas está escuro aqui. E, quando se acorda na escuridão total, é impossível não se sentir enterrado.

Certas noites, acordo e me pergunto se não estou no inferno, se já estou morto, enterrado no chão desta ilha.

Jogo os lençóis de lado e coloco os pés no chão de pedra, cujo frio me acorda e me mostra que ainda estou em meu corpo.

Tenho carne e ossos, mas nada de sombra.

Por quanto tempo ainda?

Quanto tempo ainda eu tenho?

Acendo o abajur ao lado da cama e a luz dourada preenche o cômodo. Meus olhos queimam.

Porra, que inferno.

Encontro as calças num canto, com o cinto ainda enfiado nos passadores. Visto-as, coloco qualquer camisa e dobro as mangas.

Minha espada está no lugar de sempre: pendurada em um gancho ao lado da cama.

Quando o sol pode te matar, piratas estão à sua caça e sua magia está desaparecendo, lâminas são o que lhe restam.

Deixo a espada ali mesmo, mas exagero nas facas. Uma em cada bota. Mais algumas debaixo das pernas da calça. Outra em uma bainha no antebraço.

Dois andares acima, ouço Bash mandar Darling se sentar. Ela obedece.

Se for uma boa menina, sempre fará o que mandamos.

E eu posso ser bem convincente.

A fechadura na porta externa é destrancada. Vane é o único que possui a chave. Os passos dele se aproximam. Ele não se dá ao trabalho de bater porque é um babaca metido.

É claro, ele tem sua sombra. Tem sua mágica e todas as vantagens que ela traz.

— Que bom que está acordado — diz ele ao entrar.

Sento-me de volta na ponta da cama e passo as mãos pelos cabelos. Preciso de uma bebida.

— Sua cara não tá boa — acrescenta ele.

Levanto o olhar para ele, que se recosta no meu gaveteiro como um guerreiro talhado pela guerra.

Ainda não sei como o convenci a se juntar a mim e aos Garotos Perdidos, mas que bom. Preciso dele ao meu lado. Agora mais do que nunca.

— A viagem acabou comigo — admito.

— Falei para deixar comigo.

Dou uma bufada irônica.

— E ela chegar aqui pela metade?

Ele lambe o lábio inferior por dentro, mas não discute.

Levanto-me junto com o desaparecimento do último raio de sol. Sinto nas veias, como se um fio fosse cortado.

Enfim, posso respirar.

— Como ela está? — pergunto.

O olhar de Vane se obscurece.

— Mais bonita do que a última.

— Não foi o que perguntei.

Ele suspira.

— Bash fez panquecas para ela. Kas foi bonzinho. Por enquanto, ela está calma. Já fazendo perguntas demais. Cherry deu respostas demais.

— Maldita Cherry.

— Ela é uma desvantagem. Por que raios ainda está aqui?

— Porque ela tem o tipo de lealdade de que precisamos. Por isso.

— Ela *era* leal quando os gêmeos a comiam. Agora está desesperada.

— Está desesperada por você. — Faço questão de lembrá-lo e desapareço no banheiro. — Os gêmeos eram só um passatempo. Ela quer você. Então come logo a menina e a mantenha leal.

Posso ouvi-lo resmungar no quarto.

Na pia, jogo água gelada no rosto, tento espantar a dor nos músculos.

Sou antigo.

Não devia sentir dor.

Meu tempo está acabando.

Sinto a ilha escapar pelos meus dedos.

No espelho, não reconheço meu reflexo. Sou um rei sem trono.

Malditas Darling. Maldita Tinker Bell.

A raiva borbulha nas minhas entranhas. Cerro a mandíbula, fecho os olhos, invoco uma respiração.

É ela.

Tem que ser ela, porra.

Com as mãos ainda úmidas, ajeito os cabelos. A água fresca é gostosa na minha cabeça, ajuda a aliviar um pouco a dor que lateja atrás dos olhos.

No quarto, Vane ainda está ranzinza.

— Que é? — digo. — Fala logo.

— Me deixa matar Cherry. Será uma mensagem.

— Não.

— Pan!

— Quando foi a última vez que espantou alguém daqui? Sinto sua sombra fervilhando. Precisa gastar essa energia. Gaste antes que desconte na Darling. Por mim.

Ele suspira de novo.

— Tá bom. Merda.

Dou um tapinha nas suas costas.

— Agora, vamos beber alguma coisa.

Nossos passos ecoam na torre subterrânea conforme subimos a escada de ferro. Quando emergimos no térreo da casa da árvore, respiro fundo o ar salgado.

Distantes, as gaivotas gritam em uma luta por restos.

Não vejo a Darling, mas já a sinto.

Somos uma casa de cantos frios e sinistros.

A mera presença dela já a deixou mais aquecida, e a sensação de quentura e conforto é quase desconhecida por mim.

Os Garotos Perdidos gostam de zoar que eu fugi da minha mãe assim que nasci. Mas, para falar a verdade, acho que a ilha me deu à luz. Não tenho lembrança alguma de antes de acordar aqui, envolto em magia.

No fim do corredor, Kas e Bash riem de alguma coisa.

Sinto cheiro de rum no ar, ou seja, os gêmeos já começaram a beber. Esses porrinhas são os irmãozinhos que eu nunca quis ou precisei.

Vane e eu subimos a escadaria e saímos no sótão. Alguns dos periquitos estão empoleirados nos galhos da Árvore do Nunca, os trinados suaves indicam que quase dormem.

Sinto falta da algazarra.

Sinto falta de muitas coisas da luz do dia.

Quando apareço à soleira, os olhos da Darling me acompanham.

Ela não consegue evitar.

Ninguém consegue.

Mesmo um rei sem trono chama atenção.

— Ele se ergueu das catacumbas — diz Bash.

Olho feio para ele enquanto vou até o bar. Temos centenas de garrafas de bebida, enfileiradas nas prateleiras em frente a uma parede de espelhos pintada pelo tempo e craquelada pela falta de cuidado.

Pego a minha preferida, olho pelo espelho e vejo a Darling me encarando.

Ela fica corada e desvio o olhar.

Sirvo-me de rum com gelo e, enfim, volto-me para todos, para ela.

Ela não me olha.

Dou um gole e deixo o álcool rolar pela minha língua antes de engolir, queimando. É um lembrete de que estou vivo.

Não estou?

Estalo os dedos e Bash me traz o estojo de metal com os cigarros, abre para mim e pego um. Pego o isqueiro do bolso da calça, giro e acendo.

A fumaça queima de um jeito diferente do álcool, mas queima.

Estou vivo.

Estou vivo.

A Darling está sentada no sofá de couro bem no centro. O sofá é tão grande que a deixa pequena. Os ossos salientes sob a roupa.

Ela pagará por uma dívida da qual não sabe nada a respeito.

Sinto pena da menininha Darling. Mas não o suficiente.

Dou outra tragada no cigarro, deixo a fumaça escapar um pouco e sugo com mais força para dentro de mim.

Isso chama a atenção dela.

A garota engole em seco e, então, repara na lâmina no meu braço.

Ouço o coração dela acelerar, mas me parece menos de medo e mais de curiosidade. Hora da lição.

— Levante-se — ordeno.

Ela olha para Kas.

— Ele não pode te ajudar — digo. — Levante-se, Darling.

Ela se levanta. Está descalça e os ossos dos pés estão protuberantes sob a pele como a espinha de um peixe-leão.

O que Merry fez com ela?

A raiva retorna, mas, desta vez, associada a algo diferente.

Algo de que não gosto.

— Vane — chamo, e ele se prontifica ao meu lado. — Darling. Siga-nos.

— Não fuja — Bash avisa. O tom dele é leve, mas o aviso é sério. Se ela quiser o próprio bem, irá escutá-lo.

Saímos pelas portas que dão para a sacada onde escadas descem para o pátio. Há uma fogueira num poço de pedra e os Garotos Perdidos estão por ali, bebendo e confraternizando com umas garotas da cidade. Um deles toca violão. Quando nos veem chegando, o violão desafina e se aquieta. Todos se levantam e inclinam a cabeça ao passarmos.

Darling hesita.

— Não pare — Vane avisa e a empurra.

Ela anda.

Dou a última tragada e jogo a bituca em um vaso. Está cheio de água da tempestade de ontem e a chama se apaga.

O pátio leva a uma terra dura, onde um caminho cheio de raízes serpenteia entre palmeiras e begônias enormes. Crossandras e hibiscos brotam, colorindo o caminho.

A Darling colhe uma crossandra vermelha do caule e rola as pétalas entre os dedos, depois cheira o perfume deixado pelo óleo.

Morro abaixo, o oceano se choca contra o litoral. As gaivotas plainam acima, as pontas das asas mergulhadas na cor metalizada da lua quase cheia.

Outra saudade que tenho: voar.

Descemos até a praia, a areia branca geme sob nossos pés.

O vento vem do norte, e juro sentir o cheiro de piratas imundos.

— Olhe em volta, Darling — falo.

A garota está encurralada entre Vane e mim, os braços cruzados.

Ela olha o litoral, para o sul e depois para o norte. Meu território é todo o extremo sul da ilha, da Enseada Prateada até a Rocha Corsária. O território de Gancho fica do outro lado, no norte, com o território de Tilly enfiado no meio de nós dois.

— Esta é a Terra do Nunca — explico. — Este lugar não existe no seu mundo.

Ela respira fundo, os ombros subindo para rapidamente caírem murchos outra vez.

— Pode nadar quilômetros em qualquer direção que não chegará a lugar algum, muito menos em sua casa.

As gaivotas gritam outra vez e se viram para o sul. As ondas ficam mais fortes conforme a maré sobe.

— Não tem saída. Entende o que digo?

Ela lambe os lábios.

Vane fica rijo ao meu lado.

— O que estou fazendo aqui? — ela pergunta e dá um passo à frente. — Por que captura as Darling? — Ela é magra como um palito, mas cheia de atitude. — Quando posso voltar para casa?

— É isso que você quer? Voltar para casa?

— Por que eu não ia querer?

— Responda à pergunta.

— Não quero ficar presa. — Ela aumenta o tom, e a paciência de Vane diminui. — Não posso te ajudar, seja lá com o que for — ela diz cerrando os punhos. — Está perdendo seu tempo e... minha mãe... precisa de mim.

— Precisa, é?

— Sim!

— Essa vai dar trabalho — diz Vane, a voz retumbante no fundo da garganta.

— Não posso ajudar, então me levem para casa e... — Ela se interrompe e seus olhos se arregalam.

Um gosto forte de enxofre floresce na minha língua.

— Vane — falo.

A Darling cambaleia para trás e seu batimento cardíaco enlouquece.

— Vane!

Ela se vira e sai correndo.

Agarro Vane pelos ombros e o chacoalho. Seus olhos estão negros e a escuridão da sombra enche suas veias, transbordando em torno dos olhos como uma máscara viva.

— Você não me contou que estava tão ruim assim.

Ele rosna e se solta.

— Estou bem.

— Não está nada bem.

A atenção dele se foca na Darling em fuga. Os pés dela batem na areia, a blusa esvoaça atrás de si.

— Agora preciso correr atrás dela — digo. — Parabéns.

— Não precisa. Eu vou.

Agarro-o outra vez antes que se afaste e o puxo para perto de mim com força.

— Se pegá-la, não vai sobrar mais nada. E ela é nossa última chance, porra.

A sombra embranquece os cabelos pretos dele, transformando os caninos em presas.

Vane nunca foi capaz de controlar sua sombra, não importa quanto tente se convencer de que sim, e também a mim. Ele tem que caçar os próprios demônios.

— Vai — ordeno.

Ele cerra os dentes e solta um uivo comprido e decepcionado.

Vane a observa por mais um segundo antes de se virar e voltar, com os cabelos escurecendo outra vez.

Meu tempo está acabando, e acho que o de Vane também.

Caralho. Não tenho mais paciência para isso.

A Darling atravessou metade da praia, a luz da lua pinta sua silhueta de prata e azul.

Não consigo mais voar, mas ainda posso correr, e a Darling não terá chance.

7

WINNIE

NÃO CONSIGO RESPIRAR. NÃO NASCI PARA CORRER.

A areia é irregular sob meus pés, e cada passo fica ainda mais difícil por causa disso. As lágrimas escorrem pelo meu rosto.

Odeio chorar, porra. Eu não choro.

Até onde corro? Por que corro? Não me avisaram mil vezes para não correr?

O pânico volta, e dessa vez é minha culpa. Talvez eu não consiga negociar uma saída para esta situação.

Uma falésia ao longe está contornada pelo brilho da lua. A bruma das ondas oceânicas reluz no ar noturno que a devora.

De repente, Peter Pan está na minha frente, e o terror rouba o ar dos pulmões.

Paro antes que eu trombe com ele. Seu aperto forte no meu braço me levanta com facilidade.

— O que foi que eu falei, caralho? — A voz dele está à beira de um ataque de raiva.

— Eu não sei… Eu… — Não consigo recuperar o fôlego. Não sei o que está acontecendo. — Fiquei com medo — admito, embora não me lembre de ficar com medo *aos poucos.*

De repente, eu simplesmente *estava* com medo, assim como quando acordei na casa e Vane apareceu no quarto.

Por um milésimo de segundo, Pan se suaviza. Percebo isso na tensão do corpo dele, que se dissolve.

— Foi Vane — explica. — Ele tem a capacidade de fazer as pessoas sentirem medo.

— Ele… *o quê?*

— Não foi por querer, se isso serve de consolo.

Eu rio e, por um instante, ouço minha mãe na minha voz. A loucura se revelando.

— Não me consola. — Limpo uma lágrima que escorre. — É tipo… magia ou algo assim?

— *Ou algo assim.* Vem. — Ele gesticula na direção da casa.

— Quero ir para casa.

— Por quê?

— Porque… porque vocês são uns babacas.

— E?

— E… e eu não quero ser *destruída.*

Emoções cruas vazam pela minha voz. Não queria demonstrá-las, mas saíram e agora não posso voltar atrás.

Pan franze o cenho.

— O quanto você será destruída depende totalmente de você. Quanto mais lutar, mais difícil será.

Dou uma fungada.

— Certo. Não tem jeito fácil. Sei.

Ele tenta me pegar. Eu desvio.

— Darling, se for necessário, vou carregar você no ombro.

— Quando volto para casa?

— Assim que eu descobrir se você poderá me ajudar ou não.

O vento aumenta e as ondas batem com força, então preciso gritar para que Pan me ouça.

— E quando será isso?

— Você sempre faz tantas perguntas, caralho?

— Quando sou sequestrada, sim!

— Caramba. — Ele passa a mão pelos cabelos e se vira de costas. — Estou começando a achar que isso é uma maldição.

— Só me fala...

— Não. — Ele se aproxima, agarra-me pelo braço, apoia meu peito em seu ombro e me levanta.

— Ei!

— Se reclamar, eu te amarro e te levo arrastada.

O braço dele prende minhas coxas. Ainda estou com meu camisetão e a barra sobe. Ele vai ver tudo. Mas, se eu me debater, vai levantar mais.

Meu corpo amolece, e fico dependurada sobre seu ombro, caída ao longo de suas costas. Ele volta pela praia.

— Se correr de novo, Darling — avisa ele —, na próxima, Vane é que vai te pegar.

Meu coração bate alto. Acho que vou engasgar de tanto medo. Não consigo imaginar ser caçada por Vane enquanto sua... *magia*... faz aquilo.

Eu vou mesmo acreditar nisso tudo?

Peter Pan apareceu no meu aniversário de dezoito anos, exatamente como minha mãe avisou.

Ele veio e me levou embora.

Não posso mais negar. Quanto mais cedo eu aceitar, o quanto antes vou conseguir fugir.

Pan me carrega pela casa, passando pela multidão de meninos em volta da fogueira. Sinto todos me olhando, jogada por cima do ombro de Pan como um troféu.

Pan não fala nada para eles e o violão volta a tocar quando chegamos à varanda.

Lá dentro, sou jogada sem cerimônias sobre o sofá, com o camisetão erguido até a cintura.

Os gêmeos percebem.

Demoro para arrumar.

Pan vai até o bar e se serve de outra bebida. Quando volta com ela na mão, senta-se em uma das cadeiras de couro à minha frente. Se esse couro for como o do sofá, é macio como manteiga.

A casa não é pomposa, mas alguns detalhes mostram riqueza, como os móveis, o bar e toda aquela bebida, exibida como troféus.

Parte está caindo aos pedaços de tão velha, mas é bela mesmo assim, como uma estátua antiga de alguma deusa grega cujo mármore esteja rachando.

Pan coloca o copo sobre o braço da cadeira e recosta a cabeça, fechando os olhos.

Os gêmeos me encaram de um jeito que diz claramente: *O que você fez?*

Foi Vane. Não eu. Tenho quase certeza de que não teria corrido se não fosse o poder dele sobre mim.

Bash acende outro cigarro e traga. Então se levanta e o entrega a Pan.

Pan abre os olhos e aceita a oferta, apertando o cigarro entre o polegar e o indicador para tragar.

Quando expele a fumaça, ela sobe em nuvens e desaparece como um fantasma nas vigas do teto.

À minha esquerda, a árvore que cresce bem no meio da casa solta mais folhas, que flutuam como penas até o chão.

— Bem, Darling, a história é a seguinte — Pan começa, ainda olhando para o teto com a cabeça recostada —: as Darling pegaram algo que pertence a mim, há muito tempo, e esconderam. Eu quero de volta. E você vai me ajudar a encontrar.

— Não sei onde...

— Quieta. — Ele me encara intensamente. Agora, sob a luz da casa, percebo que seus olhos são tão azuis que ficam quase brancos, contornados por um círculo preto.

Um arrepio me percorre a espinha e eu aperto a blusa em volta de mim.

— Não preciso de sua permissão para fuçar dentro da sua mente nem estou pedindo. — Ele se senta para a frente. — Mas coopere e logo conseguiremos o que queremos.

Ele dá outra tragada e a fumaça circula em volta do seu rosto.

Acho que é a primeira vez que realmente olho para ele. Quando ele apareceu em casa, estava tão descrente que não pude observar.

Na praia, estava envolto pela escuridão.

As mangas da camisa estão enroladas até os cotovelos, expondo as tatuagens pretas que cobrem braços e mãos. Os anéis de prata reluzem sob a luz enquanto ele segura o copo com força.

As tatuagens me distraem, ainda bem, pois é difícil olhá-lo no rosto.

Quando olho para ele, algo dentro de mim ruge.

Algo nele me deixa vulnerável. Não é natural. É *perturbador*. Como uma árvore seca no meio de um lago escuro.

Algo que não deveria estar lá, mas está.

Só de observá-lo já se sabe sua história: indestrutível. Inflexível.

É difícil olhar para ele, e mais difícil ainda é deixar de olhar.

— Está me entendendo, Darling?

Engulo em seco e minha garganta está apertada.

— Sim.

— Boa menina. — Ele se levanta. — Levem-na de volta para o quarto.

Os gêmeos se entreolham.

— Agora.

Eles se colocam em movimento quando Pan sai de vista.

— Vem, Darling. — Kas me levanta e Bash vai na frente. — Vamos colocar você para nanar e prometo que seremos mais bonzinhos que Pan. — Ele finaliza a frase com uma risada que poderia ser sarcástica.

Eles me guiam pelo corredor até o quarto e me prendem novamente na cama. Kas é gentil, mas percebo como olha para meu corpo.

É estranho estar presa numa casa cheia de garotos.

Um ano atrás, eu chamaria isso de festa. Agora, é apenas o resumo de uma vida de medo e desilusão.

— Para seu primeiro dia na Terra do Nunca — diz Bash —, você se saiu bem, Darling.

— Estou acorrentada a uma cama. Não tive muita escolha.

O maxilar de Kas fica tensionado.

— Sempre temos uma escolha.

— Se precisar de nós, é só gritar, Darling — Bash avisa e os dois me deixam sob a luz trêmula de uma lanterna, e ouço o clique da porta ao se fechar.

8
WINNIE

PASSEI O VERÃO DOS MEUS TREZE ANOS MORANDO COM A minha mãe numa casa deteriorada entre duas vizinhas em guerra, uma puritana e outra prostituta.

Starla era a prostituta, uma conhecida da minha mãe que nos ajudou a conseguir o aluguel.

Beth Anne era a puritana que odiava Starla.

— Aquela mulher nojenta — dizia ela quando olhava pela calçada rachada até o lindo chalezinho amarelo de Starla. — Ela é uma praga neste bairro.

O irônico é que Starla era, de longe, a vizinha mais legal do quarteirão.

Não demorei para perceber que ela era rica e seu corpo era sua moeda de troca, e que sabia usá-lo melhor que mamãe.

No fundo, Beth Anne sentia inveja de Starla, por mais que fingisse o contrário. Acho que nem tanto pelo sexo, mas pela liberdade.

O marido de Beth Anne a ignorava e provavelmente a odiava. Ela estava presa e odiava Starla por ser livre.

Eu amava Starla. Amava ouvi-la, observá-la e aprender com ela.

— Quero ser milionária — ela me contou certa tarde, quando cuidava de mim. — Estou quase lá. Só mais alguns anos e vou alcançar os sete dígitos.

Era difícil imaginar tanto dinheiro, mas, na verdade, o mais difícil era entender a confiança de Starla em si mesma.

Como ela fazia isso?

Como vivia na própria pele e amava ser quem era?

Eu a analisei durante todo o verão, tentei aprender seus segredos. Sempre amei observar as pessoas. Descobri que eram bem mais fáceis de interpretar quando não sabiam que estavam sendo estudadas.

Starla adorava puxar papo e tinha o hábito de tocar nas pessoas, até em desconhecidas. Uma mão no ombro, um aperto no braço. Os homens amam. E não importava o que Starla pedia, os homens cediam.

Certa tarde, não sei como, mas ela convenceu um homem, um desconhecido, a nos pagar o almoço. No fim do verão, apareceu com uma SUV novinha que um cara tinha comprado para ela.

— Ele é seu namorado? — perguntei.

Ela riu.

— Bebezinha, eu não namoro. Homens são meus brinquedos, e eu só brinco com eles.

Queria que ela fosse minha mãe.

Quando fomos expulsas porque mamãe atrasou o aluguel, fiquei devastada. Starla falou que eu poderia visitá-la sempre que quisesse, mas mamãe só conseguiu uma casa a dois distritos de distância.

Nunca mais vi Starla.

Às vezes, penso nela e se conseguiu seus sete dígitos.

Certeza que sim.

Acorrentada àquela cama naquele lugar desconhecido, perguntei-me o que Starla faria. Ela não estaria preocupada muito menos com medo. Starla bolaria um plano e entraria em ação.

Antes de Pan, antes da Terra do Nunca, pensava que meu destino era ficar louca que nem minha mãe, que nada impediria isso de acontecer. Pensava que a loucura estava nos meus genes, mas agora acho que acontece aqui. Na Terra do Nunca.

Então, preciso descobrir como impedi-la de acontecer. E o fato de que tenho a oportunidade de impedir é mais do que imaginei que teria ao meu dispor.

Nunca fui puritana, não como Beth Anne. Não tive o luxo de ser.

Por isso, passei o rodo em metade do time de basquete do colegial. Eles me davam tudo que eu queria ou precisava. Às vezes, uma carona para a escola. Às vezes, comida. Às vezes, apenas a sensação de estar em minha própria pele.

Foi nesse ano que ganhei o apelido de Winnie Vagaba.

Não liguei na época nem ligo agora.

E, se Starla estivesse aqui, ela me diria para usar o que tenho.

— A maioria dos homens não percebe — ela me disse certa vez —, mas nós, garotas, também temos nossas caixas de ferramentas. Só que elas não estão cheias de martelos e chaves de fenda e alicates. Temos isto aqui. — E apertou os peitos. — E isto. — E apontou a cabeça. — Não há poder maior que as tetas e o cérebro, bebezinha.

O jeito como Kas me olhou... O elo fraco só pode ser ele.

Será que ele pode me levar para casa? Será que sabe como sair da ilha? Tenho certeza de que ficaria do meu lado.

Na escuridão do quarto, uma ideia começa a se formar.

Fico sentada, limpo a garganta e chamo Kas. Em poucos minutos, os passos ressoam do lado de fora e meu coração salta à boca.

Vou transar com um Garoto Perdido.

Se a Darling me chama, eu vou.

Bash e eu fomos alocados como seus protetores, como sempre.

Há décadas cuidamos das Darling.

Olhem, mas não toquem.

Ela está sentada na cama, chorando.

Imediatamente, sinto o desejo de ajudá-la.

Pan sempre diz que eu sou o coração mole de nós quatro.

— O que foi? — Sento-me na beirada da cama ao lado dela.

— Estou com medo — conta ela e se agarra a mim, a mão enrolada na minha camiseta. Ela soluça, e me derreto.

Como não?

Puxo-a para mais perto. O corpo dela treme.

Ouço Bash no fundo da minha mente: *péssima ideia.*

Mas eu sei o que estou fazendo, cacete.

Não perco o controle como Vane e certamente não saio comendo todas por aí como Bash. Consigo cuidar de uma Darling chorando sem tentar transar com ela.

— Winnie, vai ficar tudo bem.

— Ele vai acabar comigo.

— Não, não vai.

— Sim, vai. Como acabou com minha mãe.

Suas lágrimas molham minha camiseta. Ouço o coração acelerado, sinto o sangue pulsando em suas veias.

Bash e eu não somos como Pan e Vane, mas ainda assim também somos monstros.

Ela coloca a mão sobre minha coxa e afunda para mais perto.

Meu pau percebe.

— Darling — minha voz está rouca e sombria —, preciso ir.

— Não. Espere. — Ela tenta envolver meu bíceps com a mão, mas é pequena demais. — Não quero ficar sozinha. — Meu peito fica apertado. — Por favor, fique. — A voz dela é um gemido.

— Só mais um minuto — aviso.

— Obrigada.

Ficamos quietos por um instante e o silêncio me pinica a nuca.

— Quer ver uma coisa? — pergunto.

Subitamente, ela levanta a guarda.

— Tipo?

— Deita.

A corrente sacode. A cama range.

Essa Darling é muito ingênua. E eu estou na corda-bamba.

Deito-me ao lado dela.

O luar jorra pela janela atrás de nós e se estica pelas paredes.

Minha magia sempre desperta na lua cheia. Como as marés, cresce sob a luz.

Nem preciso pensar a respeito e a ilusão se abre no teto.

Ao meu lado, a Darling fica boquiaberta e eu não consigo conter um sorriso.

— O que é isso? — ela quer saber.

O céu da noite aparece acima de nós em tons reluzentes de preto, azul e violeta, e estrelas brilham na escuridão.

Algumas Darling gostam da magia. Outras não. Algumas acham que é só uma ilusão de ótica. Mas é tudo real.

A Terra do Nunca é cheia de magia. Ou ao menos já foi. Agora está morrendo.

E este é o motivo pelo qual a Darling está aqui: salvar o rei, salvar a ilha.

É uma noção ridícula, depois de tantos séculos. Às vezes, esqueço-me de que Pan é o rei, de que há algo para governar.

Nunca voltará a ser como antes de ele perder a sombra.

Nem sei mais pelo que estamos lutando.

Pela magia, suponho. Pela terra.

Mas, para Pan, às vezes penso que se trata de poder. Ele não está nem aí para o hibisco, as violetas ou as amoras.

Um rei não pode se tornar outra coisa. Sempre será rei. Sem o trono, não é nada.

A Darling se vira para mim. A luz das estrelas se intensifica, e não consigo esconder que a ilusão está conectada a mim.

Os outros odeiam quando uma Darling vem para a Terra do Nunca. Eu sempre gostei.

Quebra a monotonia.

— O que você é? — pergunta ela.

Eu rio, baixo, sob a respiração.

— Sou muitas coisas, Darling.

— Mas isto — ela levanta a mão e indica o teto —, o que é? Como consegue?

Bash e eu não costumamos falar de onde viemos. Porque não podemos voltar para casa.

— No seu mundo — explico —, acho que somos chamados de fadas.

Ela ri, e o brilho das estrelas brinca em sua testa.

— Mas eu não acredito em…

Coloco a mão sobre sua boca e sua respiração assustada escapa pelos meus dedos. Ela faz uma careta.

— Não fale isso. Prometa que não vai falar.

Ela acena rapidamente que sim, então tiro a mão.

— Por que não? Por que não posso falar que não acredito em…

— Darling — o nome dela sai num rosnado, e meu coração bate com força —, se falar, eu morro.

— O quê? — Ela ri. — Não pode ser.

— Mas é.

Lembro-me de minha mãe. O formato de suas asas, o brilho de sua pele.

— Se falar essas palavras, uma fada morre. Simples assim. Então, prometa-me que não vai falar.

Ela se ajeita na cama.

— Prometo. — Deito-me de novo ao seu lado. — Se é uma fada, cadê suas asas?

— Perdi. — A confissão está envolvida em mágoa e repleta de raiva.

— O que aconteceu?

Suspiro.

— É uma história muito longa.

Ela me olha com o cenho franzido. Acho que ela imaginava outra direção para essa conversa.

— Você disse que, no meu mundo, seria chamado de fada. Do que o chamam aqui?

— Fae é uma palavra mais adequada. — Não somos todos criaturas feitas de pó de estrelas e luz, como minha mãe. Os fae daqui são banhados em sangue, mas têm uma única regra: não matamos uns aos outros.

Bash e eu quebramos a regra.

— E Pan? — a Darling pergunta.

— Não é um fae.

— Então, o que ele é?

Fui longe demais. A luz das estrelas no teto pisca e se apaga.

— Não é minha história para contar, Darling.

Ela bufa e se ajeita ao meu lado. A cama range.

Já estou gostando demais dessa Darling. Talvez eu não saiba o que estou fazendo, afinal.

Ela vira de lado e ajeita a mão debaixo da cabeça.

As ondas quebram na praia. Sinto uma tempestade de verão no ar.

— E suas tatuagens? — Ela traceja com o dedo as linhas curvas de uma das minhas marcas. — Significam alguma coisa?

— Já significaram.

— E agora?

— São apenas um lembrete.

Estremeço quando ela segue uma linha do pescoço. Para um fae, as tatuagens são marcas de categoria e ordem. Bash e eu éramos importantes.

Agora somos uma fábula moralizante.

Sua mão desce pelo meu pescoço até a barriga. Meu abdome se contrai.

Estou duro pra caralho.

A mão desce.

Agarro seu punho.

— Não.

— Não o quê?

— Sei o que está fazendo.

— O que é?

— Está tentando causar uma tensão no grupo. Não é a primeira a se achar mais inteligente do que nós. Não é, Darling. Qualquer estratégia que esteja tramando, já vimos antes. Já vimos de tudo, e todas as Darling cedem. Mais cedo ou mais tarde.

Quero trepar com ela só para ensinar a lição.

A maré sobe. A magia ressoa em minhas costelas.

Somos todos presos à noite, de alguma forma.

É melhor deixar as noites escuras para as criaturas sombrias.

— Não tocamos nas Darling — aviso e me levanto.

— Eu não estava… não queria…

— Boa noite, Darling — falo e vou embora, fechando a porta atrás de mim.

Ajeito meu pau, já quase doendo.

Preciso de… *um escape*.

Vou até a varanda.

— Aonde você vai? — Bash pergunta.

— Sair.

Os outros Garotos Perdidos estão sentados em volta da fogueira e há dúzias de meninas da cidade desesperadas pela atenção do Rei e de seus homens.

Escolho uma. Qualquer uma.

— Você. — Aponto para uma garota de cabelos castanho-escuros. — De joelhos.

Os olhos dela se arregalam e ela olha para os outros.

— De joelhos ou cai fora. Escolhe.

A jovem lambe os lábios e fica de pé, aproximando-se. Abaixa meu zíper, tira meu pau e o esfrega com a mão.

Caralho.

Os cabelos da minha nuca se eriçam enquanto a magia preenche o ar.

Posso fazer qualquer coisa parecer real. Fazer qualquer ilusão real ao toque.

Mas a única coisa que não posso fazer?

Não posso fingir que não sou tão zoado quanto o resto deles.

A garota coloca meu pau em sua boca. Lenta, suave, insegura. Que droga.

Agarro seus cabelos e enfio até a garganta. Ela engasga. Lágrimas enchem seus olhos. Os outros me observam metendo na boca dela, brutalmente, sem piedade.

Ela aguenta. Cada centímetro.

E o tempo todo fico imaginando que são os lábios da Darling em volta do meu pau.

Talvez ela saiba o que está fazendo, afinal.

10

WINNIE

A CORRENTE COM A QUAL ME PRENDERAM É COMPRIDA O suficiente para que eu desça da cama e alcance a janela. As venezianas ainda estão abertas, então escuto tudo o que está acontecendo lá embaixo.

Ouço Kas mandando uma menina se ajoelhar, e ela obedece sem questionar, enquanto o resto fica ali observando tudo.

Uma sensação estranha e desconhecida invade meu peito enquanto observo.

Sinto uma ardência entre as pernas, fico molhada de repente.

Era para *eu* estar fazendo isso. Era para ser eu. Mas observar…

Por que raios estou tão excitada?

A menina começa a engasgar, mas Kas não para.

Estou hipnotizada por ele, o movimento dos quadris e o brilho da lua em seus cabelos escuros, as linhas negras de suas tatuagens e…

A porta do meu quarto se abre de repente. Alguém entra rápido e me puxa pela corrente. Perco o equilíbrio, tropeço. Bash me impede de cair, mas me segura pela garganta.

— O que você falou para ele, Darling?

— O quê? Eu não…

— Conheço meu irmão. Afinal, ele é minha outra metade.

O luar entra pela janela apenas o suficiente para eu ver a carranca de Bash para mim. Podem ser idênticos, mas Bash é mais incisivo.

Deve ser o mais velho, o protetor de Kas, embora duvido de que ele precise.

— Não fiz nada.

Ele me aperta mais.

— Vocês Darling são todas iguais, um bando de cretinas que se fingem de inocentes, como se fossem as vítimas…

— Nós somos!

Ele bufa, zombando.

— Vai nessa.

— *Vocês* me sequestraram. Eu não quero ficar aqui!

Ele me empurra e me pressiona contra a parede. Fico sem ar.

— E acha que queremos você aqui? Acha que é divertido pra gente testemunhar Pan morrendo aos poucos bem na nossa frente? Sentir a ilha querendo nos vomitar? Acha que pedimos para as Darling…

Ele se impede de continuar e respira muito profundamente, as abas do nariz se abrindo.

— Pan está morrendo? — pergunto, mas ele só fecha ainda mais a cara e seus olhos se contraem. — Por que está morrendo?

Ele tira a mão da minha garganta e a desce até o ombro, o polegar pressionando minhas clavículas.

Ainda estou excitada por ter visto o irmão metendo na boca daquela menina.

Meu coração está acelerado no peito.

Bash me encara com os olhos estreitados.

A respiração dele se acelera, e logo percebo que errei ao tentar Kas primeiro. Pensei que seria ele, pois é o mais bonzinho. Mas esse é o motivo pelo qual não me tocou. Não de primeira, ao menos.

Starla, penso, *você vai se orgulhar de mim.*

Transe com quem estiver a fim, diria ela.

Não seria a primeira vez que uso meu corpo para conseguir o que quero.

Solto um gemido baixinho e Bash cerra o maxilar e se aproxima. Sinto o pinto duro dele na minha coxa.

Empurro meus quadris para a frente e me esfrego nele. Ele geme.

Bash vai me comer. Tenho certeza.

E, depois, Kas vai ficar puto e Pan vai ficar puto, e eu não sei ao certo o que Vane fará.

Mas terei colocado as engrenagens para girar.

Canalizando minha Starla interior, pego no pau de Bash, e suas narinas se abrem enquanto um rosnado grave soa em seu peito.

Esfrego por cima da calça.

— Darling, você tá brincando com fogo.

— Ah, é?

Ele me pega pela garganta, dentes cerrados.

Enfio a mão por baixo da calça. Quando sinto o calor do seu pau, a cabeça incha e passo o dedo pela fenda.

— Dane-se — ele diz e nos vira, sentando-se na beirada da cama comigo em seu colo.

Antes que eu possa respirar, ele coloca o pau para fora, puxa minha calcinha de lado e enfia com tudo dentro de mim.

— Pula no meu pau, Darling — ele ordena, e o triunfo quase escapa de mim em um gritinho agudo.

Apoio os joelhos na cama e passo os braços em volta dele, então começo a cavalgar no pau dele. Bash me segura com força na cintura, guiando-me para cima e para baixo, para dentro e para fora de mim.

— Caralho. Que péssima ideia.

— Pois eu acho que é uma ideia ótima.

Ele incha dentro de mim.

Arranco a camisa dele.

Se for para usar meu corpo para conseguir o que quero, ao menos vou admirar o que estou recebendo em troca.

Bash é trincado, coberto por tatuagens. Seu abdome se contrai conforme mete dentro mim.

— Que droga, Darling. Inferno. O Pan vai me matar.

Ele puxa o colarinho da minha blusa com força, tira meu peito para fora e captura o mamilo em sua boca. E me morde. Eu grito e me aperto junto a ele, que me agarra com mais força.

Esfrego meu clitóris contra ele, meu prazer se intensifica.

Estou trepando com um Garoto Perdido.

Tenho um plano.

Vou sair daqui e então...

Sinto Peter Pan antes de vê-lo. E, quando ele entra no quarto, Bash imediatamente se imobiliza.

Vejo a chama do isqueiro primeiro, dançando na escuridão, queimando a ponta do cigarro em sua boca.

Bash lateja dentro de mim.

Pan fecha o isqueiro com um claque definitivo e dá uma tragada no cigarro, a brasa queima num laranja neon.

Quando exala, ele diz:

— Não parem por minha causa.

Ele entra no quarto, senta-se na poltrona atrás de mim.

Bash exala, quase suspira. Ainda está duro, enfiado em mim, mas não se mexe.

— Vai — diz Pan. — Come a Darling.

— Pan... eu não...

— Come a Darling, Bash. Agora.

Bash me olha. Não sei se arrependido ou aliviado.

Ele me penetra com mais força, e guia meus quadris ao longo do seu pau.

Não enxergo Pan, mas sinto seu olhar pesado nas minhas costas, e isso é a experiência mais erótica que já vivenciei.

Gosto mais do que deveria. Posso ter transado com metade do time de basquete, mas não ao mesmo tempo.

Bash aumenta o ritmo e eu o ajudo, pulando nele, cada vez mais próximos, e o quarto vai se enchendo da fumaça e do cheiro de tabaco queimado.

Meu clitóris latejando, desesperado por fricção, e eu me inclino para a frente, me esfregando em Bash, subindo e descendo.

— Caralho, Darling. Assim mesmo.

Ele fica ainda mais duro dentro de mim.

— Caralho. Caralho, isso.

O peito dele sobe e desce, e, então, todos os músculos de seu corpo ficam tesos quando ele geme e goza dentro de mim, me enchendo de porra.

Estou tão perto.

Só preciso de mais umas estocadas.

Fico arfando no pescoço de Bash, segurando firme, coberta de suor e do ar quente de verão.

Tão perto.

Tão perto.

Um braço forte me arranca de Bash, puxando-me pela cintura, acabando com o prazer e o calor.

Estou latejando, molhada e pingando porra.

— Cai fora — Pan fala para Bash.

— Caralho, Pan — Bash resmunga ao subir a calça. — Se está tentando me ensinar uma lição, perdeu a oportunidade.

— Vai logo — Pan fala ainda me segurando contra seu peito.

Depois que Bash vai embora, Pan me vira e me joga na poltrona. A corrente tilinta e fica retesada.

Ele aponta para mim, e seu anel prata reluz sob o luar.

— Você não sabe onde está se metendo.

— Fui sequestrada. Acho que sei muito bem.

Ele se eriça todo.

Que bom. Era isso o que eu queria. Incomodar. Encontrar as fraquezas.

Eis o meu talento. Eu consigo. Sei fazer isso muito bem.

Puxo a barra do camisetão. Tem uma mancha escura e molhada na minha calcinha. Da minha boceta e da porra de Bash.

Pan não consegue evitar olhar. Seu maxilar está tenso quando se aproxima.

Empurro a calcinha para o lado, esfrego os dedos na minha fenda molhada e enfio a pontinha de um dedo dentro de mim.

Está bom demais. Melhor do que deveria.

Sou uma garotinha no parque de diversões, querendo andar em todos os brinquedos.

O que tenho a perder, afinal?

Ontem, não achava que nada disso era real. Talvez não seja mesmo. Talvez tudo seja um sonho e, se for, posso fazer o que me der na telha.

Gemo enquanto esfrego meu clitóris.

Pan me encara, seus olhos quase brancos brilhando à luz da lua.

Não sei o que ele é, e acho que não me importo.

Só sei que ele é meu captor, e não vou deixar que controle a situação.

Afundo na cadeira, abro as pernas e acelero o ritmo.

Já estava prestes a gozar quando Pan me puxou. Estou *quase* lá.

Não fecho os olhos nem me deito mais. Quero vê-lo me observar enquanto gozo.

Quero saber como ele se sente a respeito, pois, independentemente do que esses caras são, acho que já sei lê-los como um livro aberto. E o que eu ler, vou usar contra eles mais tarde.

A antecipação do orgasmo me dá um calafrio na espinha e arqueio as costas, exibindo-me ainda mais.

Seu olhar afunda na minha boceta enquanto eu me masturbo. Ele está faminto.

O calor entre minhas pernas é incendiante e quase me consome. As narinas dele se alargam.

Peter Pan era um mito, e agora ele é real e está saboreando minha visão como uma miragem.

Vou sentindo cada vez mais prazer quando a mão de Pan desliza pela minha coxa. Fico toda arrepiada.

Me toca, penso.

Me toca.

Diminuo o ritmo, deixo os dedos em cima do clitóris, tentando evitar o orgasmo, só para ver o que Pan vai fazer.

Ele enfia dois dedos em mim até a primeira junta. Fico sem ar.

Desliza os dedos para fora lentamente, depois enfia com força de novo, empurrando-me para trás na poltrona.

Um mito está me comendo com os dedos.

Ai, nossa!

— Não para, Darling — ordena ele.

Giro os dedos em torno do clitóris, os nervos à flor da pele.

Pan tira os dedos de mim e os enfia na minha boca.

Abro os olhos. Sinto o sabor doce do meu suco e o picante da porra.

— Limpa isso.

Lambo o dedo dele, obediente. Pan estreita o olhar.

— Tem gosto do quê? — pergunta ele, o maxilar duro à espera da minha resposta.

— Eu… eu não sei.

— Tem gosto de problema — ele me diz. — Darling, sua putinha vagabunda.

Fico ainda mais excitada com essas palavras.

— Ai, droga — falo gemendo. — Isso.

Estou tão excitada, tão tensa, tão fora de mim, que as ondas se quebram em meu âmago, fico sem fôlego e meu corpo todo fica rígido.

Não quero que acabe.

O calor me invade, meus dedos dos pés se dobram. Os joelhos se apertam, mas Pan os separa, deixando-me bem aberta.

Arfo, sem fôlego, meio zonza.

Estou em chamas como uma supernova.

Pan me agarra pelo maxilar com força e me obriga a olhar para ele. Estou ensopada de suor na testa e no peito, sem fôlego.

Seu rosto está furioso.

— Não transamos com as Darling — ele me diz. — Para de graça ou vai se arrepender.

E então ele me larga ali, na poltrona, ensopada e suja.

11

PETER PAN

MEU PAU ESTÁ TÃO DURO E EU ESTOU TÃO PUTO QUE TERIA rasgado a Darling ao meio.

Aquela boceta molhadinha estava implorando para ser comida.

Ela sabia exatamente o que estava fazendo e fez muito bem.

Vou até a varanda e acendo outro cigarro. Não é o suficiente. Não é o que eu quero.

A fumaça queimando nos meus pulmões desfaz um pouco da tensão nos ombros. Seguro a beirada de pedra. Os demais Garotos Perdidos foram embora, mas a fogueira permanece acesa.

Em algum lugar da floresta, um pássaro canta na noite quando o vento muda de direção e as palmeiras farfalham.

Vane me encontra ali. Ele também está menos tenso. Bem menos. Sinto pela energia no ar. Não tenho mais todo o meu poder, mas isso ainda sinto.

— Deu seus pulos? — pergunto.

Ele faz que sim, mas seu rosto está descontente.

— Cherry?

— É.

— E ela sobreviveu?

— Por pouco.

— Elas nunca sabem as consequências. — Não estou falando somente de Cherry.

Dou outra tragada no cigarro e deixo a fumaça sair sozinha.

— Cherry sabia. Mas quis mesmo assim. — Vane aponta para mim com o queixo. — E essa cara de funeral?

Suspiro.

— Bash transou com a Darling.

E, então, eu enfiei os dedos nela.

Ainda sinto o cheiro dela em mim cada vez que levo o cigarro à boca. Tão doce. Tão tentador.

— Cacete. — Vane se apoia na beirada e cruza os braços. — E você? — pergunta ele.

Minha expressão fica sombria.

— O que é que tem?

— Sinto o cheiro dela em você. Não sou idiota.

— Eu dei uma lição nela.

— E deu uma lição em você também?

Dou uma última tragada e esmago o cigarro em um cinzeiro de cristal, soprando a última fumaça.

— Se ela já está te perturbando, estamos encrencados.

— Vane...

— Não permita.

— Não vou, porra!

Ele me olha nos olhos, um olho violeta, o outro preto. A sombra está quieta, mas sinto-a à espreita. Nunca está totalmente satisfeita. Vane e sua sombra vêm de outra ilha, uma bem mais sombria.

Mesmo sem a sombra, ele seria amedrontador.

Ainda não sei como o convenci a deixar sua ilha. Ele nunca me contou sua história, e eu nunca perguntei. Mas, quanto mais o tempo passa, mais difícil fica para ele conter quem é, e os desejos que possui.

Ele está lutando outra batalha, não como a minha, mas ambos lutamos.

— Vou ficar bem — aviso.

Ele acena com a cabeça.

— Não demore para entrar. O sol já vai nascer.

Depois que ele vai embora, permaneço na varanda, curvado sobre a balaustrada por mais tempo do que deveria.

Quanto mais próximo o sol do horizonte, mais minha pele dói e fico nauseado.

Só precisamos nos segurar até chegar a hora de entrar na mente da Darling, fuçar em suas memórias e ver o que podemos achar. Mais duas noites até a lua cheia.

Vamos aguardar até lá.

Quando o primeiro raio de sol surge no horizonte oceânico, hesito e saboreio a cor do dia.

Tenho menos de dez segundos e minha pele começa a rachar, a dor pulsa em minhas veias, quente e picante.

Sem minha sombra, a luz do dia é minha sentença de morte.

Preciso correr até minha tumba, com a fumaça curvilínea atrás de mim.

Acordo na manhã seguinte com o sol já alto no céu. O ar está quente, mas uma brisa sopra, e as janelas ficaram abertas a noite toda, de modo que a luz do sol e a brisa oceânica sopram facilmente adentro.

Se eu não tivesse sido sequestrada e levada para uma ilha distante por um homem mitológico, se não estivesse acorrentada a uma cama, seriam as melhores férias da minha vida.

As ondas quebram de forma cadenciada e respigam nas rochas e na areia. Empurro a poltrona até uma das janelas, sento-me confortavelmente e apoio os pés na beirada.

Fico sentada ali por uma hora, apenas observando as gaivotas irem e virem da praia. Não há ninguém lá fora, tudo imóvel. É uma casa de corujões.

Sentada ali, sonho acordada com o que fiz na noite anterior.

Um calor picante se acomoda entre minhas pernas e eu aperto as coxas com força, tentando espantar um pouco da excitação.

Eu queria criar um fosso entre os Garotos Perdidos, mas acho que aproveitei mais do que imaginei.

Gostei de ser chamada de vagabunda.

Se Pan me chamasse de puta e me comesse...

— Bom dia.

Ajeito-me rapidamente quando Cherry entra.

— Putz, você me assustou.

— Desculpa — diz ela. Ela se aproxima da cama, onde coloca uma bandeja com comida.

— O que aconteceu com você? — pergunto. O rosto está arranhado e os braços cheios de manchas roxas.

— Caí.

— Onde? Em cima de um barril de vidro quebrado?

Ela me ignora.

— Acabei de passar o café. Creme ou açúcar?

Do lado do café, um prato com torradas e uma tigela de frutas.

— Um pouquinho de creme.

Ela retira a tampa de uma xícara e despeja um creme espesso. O café empalidece.

— Dormiu bem? — pergunta ela.

— Estranhamente, sim. Como há muito tempo não dormia.

— Come. Colhi as frutas eu mesma. Não tá dando tanta fartura ultimamente. Na verdade, nunca deu. Então, isso aqui vale ouro. Fique sabendo.

Sento-me na cama gigante. A corrente vem comigo. Cherry faz uma careta para ela.

— Não gostou da minha joia nova? — pergunto, com um floreio do braço. — É muito moderna.

Ela ri. Sua risada parece um sininho que me lembra do Natal, de globos de neve e elfos.

Pego uma frutinha e enfio na boca. Cherry me observa.

— Você é muito bonita — ela me elogia.

— Eu sei. — Eu digo e ela franze o cenho para mim. — É melhor saber quais são seus pontos fortes — explico, papagaiando Starla.

Cherry sacode a cabeça.

— Acho que não tenho nenhum.

— Claro que tem.

Cruzo as pernas em borboleta e tomo um gole do café. É o melhor que já bebi na vida. De verdade. Melhor que Starbucks.

Por que tudo aqui é mais gostoso?

— Seu cabelo e suas sardas são pontos fortes — digo. — E você tem um quê de inocência. Sabe ser malvada?

Ela ri, nervosa.

— Acho que não.

— Aposto que te subestimam.

Ela sabe de quem estou falando.

— Eu... — Ela olha para baixo, na direção do lençol amarfanhado. — Não tenho magia nem poderes. Então, acho que não há nada para subestimar.

Com as mãos envolvendo a xícara, levo até quase o meu rosto, mas fico observando-a por detrás do vapor.

Ela está solitária e desesperada por atenção. Algo que os Garotos Perdidos nunca vão lhe dar.

Posso lhe dar atenção. Algo mais que posso usar quando precisar.

— Qual é o seu favorito? — pergunto e tomo outro gole. Nossa, como é bom ter algo normal. Embora esteja aqui há pouco tempo, tudo aqui é diferente. Preciso de algo que não seja.

— Dos garotos?

— Sim. — Um sorriso brinca em seus lábios e ela baixa a cabeça. Eu a encorajo: — Vai. Conta tudo.

— Bom...

— Sim?

— Vane.

Sorrio exibindo os dentes.

— Sério?

Ela fica vermelha e ajeita uma mecha de cabelo avermelhado atrás da orelha.

— Tem alguma coisa nele…

— Cintilante e psicótica?

— É a sombra dele. Ele…

— Pera aí… a o que dele?

Cherry lambe os lábios. Droga, ela falou algo que não devia. Por isso mesmo precisamos ser amigas.

Abaixo a voz:

— Não vou contar nada. Juro.

Ela confere a porta, então se aproxima de mim, animada por saber de um segredo que não sei.

— Há mais ilhas além da Terra do Nunca. Sete ilhas, sete reis. Cada ilha tem duas sombras: uma para a vida, outra para a morte. O rei sempre reivindica uma sombra. Está no sangue dele tal habilidade de reivindicar. — A voz dela fica mais aguda, mais excitada. — O rei escolhe uma, a que ele quer. Pan escolheu a Sombra da Vida, há muito tempo. Mas, quando perdeu sua sombra, perdeu o poder, e agora a ilha sofre por causa disso, e acho que Pan está morrendo.

Eu só consigo piscar. É muita informação para assimilar.

— Então Pan é um rei?

— Sim. Ou era. Mas isso foi antes de eu nascer.

— E ele perdeu a sombra?

— Sim.

Uma peça do quebra-cabeça se encaixa.

Pan acha que as Darling pegaram sua sombra. Ele falou isso, embora não com todas as palavras. Ele vai ter dificuldade de extrair essa informação de mim, considerando que nunca tinha ouvido falar nisso e definitivamente não sei como encontrá-la.

O que torna meu plano ainda mais importante. Porque se não posso lhe dar o que quer…

— E a Sombra da Morte ou sei lá o que desta ilha?

Cherry balança a cabeça.

— Faz muito tempo que se perdeu. Ninguém viu nem parece interessado em encontrá-la. Sombras da Morte não são algo com que alguém quer se meter.

O olhar dela fica distante enquanto fala, e tenho a nítida impressão de que ela sabe mais sobre Sombras da Morte do que está deixando transparecer.

— Ontem à noite, Kas me contou sobre os fae, sobre como ele e Bash são fae, mas perderam as asas?

Cherry assente.

— Eles mataram o próprio pai.

— O quê?!

E eu aqui pensando que os gêmeos eram os bonzinhos.

— Matar outro fae leva ao banimento e à perda das asas. Por isso eles estão aqui com Pan e os Garotos Perdidos. Foram banidos da corte dos fae.

— Corte?

Tanta informação está fazendo minha cabeça girar, mas estaria mentindo se não dissesse que me empolga. É tudo tão interessante. Melhor que um seriado.

— E você? — pergunto. — O que você é?

— Eu? — A voz dela vira um ganido. — Sou humana. Venho… venho do norte da ilha. Território do Gancho.

— E quem é Gancho?

— Capitão dos piratas.

— E os piratas…

— Odeiam Pan.

— Certo.

— Querem dominar a ilha. — Ela mexe com um fio solto do lençol branco. Enrola em torno do dedo até que ele fica azul.

— E eles têm alguma chance?

Cherry foca num ponto distante na parede, perdida em memórias.

— Talvez sim, talvez não. Meu… Gancho… é implacável.

Ela conhece o Capitão Gancho pessoalmente. Mas como?

— Você já deixou a ilha? Sabe como… cruzar os mundos?

A jovem balança a cabeça e desenrola o fio do dedo, que volta a ter circulação de sangue.

Largo a xícara e me deito.

— Tudo bem. Acho que estou presa aqui mesmo, morrendo de tédio.

— Bom, talvez eu possa convencer os gêmeos a te liberarem para a fogueira, sair um pouco de casa.

— Ok. Parece divertido.

Até já consigo imaginar a confusão que posso causar na fogueira.

Meu cérebro conjura a imagem de Kas metendo na boca daquela menina e sinto um frio na barriga. A sensação desce para o meio das minhas pernas.

Há algo de excitante em ver o cara supostamente bonzinho sendo malvadinho.

— Vou pedir a Bash. Provavelmente vai dizer sim. Kas é mais difícil de convencer, mas, se Bash quer, Kas costuma ceder.

E vice-versa, aposto.

— E Pan e Vane?

Cherry revira os olhos.

— Não tanto quanto os gêmeos.

— Algo me diz que eles são do tipo que estouram as bexigas nas festas infantis.

Ela ri.

— Você é engraçada, Darling.

— Valeu.

— Aproveite o café. Volto já. — Ela sai da cama.

— Cherry?

— Hmm?

— Foi Vane quem te machucou assim? — Não é da minha conta, mas preciso saber.

Ela morde o lábio inferior, depois ri, nervosa.

— Faz parte.

— Parte do quê?

— Vane tem uma sombra também. De outra ilha. — Adivinho o que ela vai falar a seguir: — E a sombra dele é a da morte.

13

BASH

KAS E EU ESTAMOS NAS REDES PRESAS ÀS PALMEIRAS DA PRAIA. Ainda não contei a Kas o que aprontei ontem.

Com uma varinha, ele se empurra, fazendo a rede balançar. Depois, enfia a varinha na minha bunda.

— Cabaço.

Ele ri.

Uma gaivota ousa se aproximar, na esperança de termos restos, mas só tenho uma corda na mão. Dar nós me acalma.

— Preciso te contar uma coisa — falo para meu gêmeo.

Kas se ajeita e a rede geme.

— Diga.

— Transei com a Darling.

Ele fica em silêncio, apenas a rede range. Outra onda quebra na praia. Um mosquito pousa no meu braço e eu o esmago, espalhando suas vísceras na minha pele.

— Devo começar a organizar seu funeral? — ele diz enfim.

— Engraçadinho.

— Ele vai te matar. Fico surpreso que ainda esteja vivo. — Pego um punhado de areia na mão e limpo as vísceras com ela. — O que aconteceu?

— Pan nos flagrou e me mandou continuar. Sinceramente, acho que a Darling gostou.

Meu pau fica duro só de lembrar daquela boceta apertadinha. Jamais caí na tentação de uma Darling antes, por mais que quisesse. Gosto de transar. E gosto ainda mais de transar com quem não deveria.

— Como foi?

Já tô latejando, quero mais.

— Bem vagabunda, do jeitinho que eu gosto.

Kas suspira.

— Você é um babaca.

— É, mas só fui ao quarto dela ontem por sua causa.

— Se é nisso que você quer acreditar...

No alto do morro, vejo Cherry na varanda, observando a praia. Quando nos vê, ela desce.

Não estou com cabeça para a Cherry. Acho que nunca estou. Diferentemente das Darling, sempre tive acesso livre a Cherry. Isso tira parte da graça.

— Oi — ela se aproxima —, Winnie pode ir à fogueira hoje?

Kas me dá outro empurrãozinho com a vareta.

— Por quê? — pergunta ele.

— Pode ser bom para ela, até a chegada da lua cheia.

— Pan não vai deixar.

Cherry coloca as mãos nos quadris.

— Fazemos fogueira toda noite. Desde quando precisamos da permissão dele?

— Não precisamos, mas ele vai ter uma opinião sobre a presença da Darling — digo.

— Eu me viro com o Pan.

Kas ri olhando para cima.

— E o que raios você vai dizer para Peter Pan que irá convencê-lo?

— Ele não é tão inflexível quanto vocês dois pensam. — Ela cerra os olhos quando o vento muda de direção e as folhas de palmeira se abrem, permitindo a passagem da luz solar. — Além disso, para onde ela poderia ir? Não tem para onde fugir.

— Parece que você fugiu bastante ontem à noite — digo.

Kas faz uma cara feia para mim, dizendo: *Pare de provocá-la.*

Por quê? É tão fácil.

— Parem com isso — ela pede.

— Isso o quê?

— Conversar nessa língua de fae. Ouço os sinos, mas não as palavras, e me irrita. — Ela bufa.

— Estamos falando da Sombra da Morte, só isso — minto.

— Ela te deu o melhor e mais assustador orgasmo da sua vida, Cherry?

A garota enrubesce.

Para falar a verdade, fico muito surpreso por ela estar de pé e falando.

Quando a sombra de Vane o domina, ela *me* assusta, e ele não está tentando me comer.

— Não vou falar da minha vida sexual com vocês dois. Então, ela pode ir?

— Acho que sim — digo. — Você sabe o quanto eu adoro meninas bonitas e festas.

— É porque você é um babaca que só pensa em si mesmo — acrescenta Kas.

— Ele tem razão. — Viro-me para Cherry.

— Você cozinha? — ela me pede.

— Tem alguém melhor? — Não espero a resposta. — Não, não tem. Então, sim, vou cozinhar.

— Tá bom. Às sete então?

— Você não ia pedir ao Pan primeiro? O sol não vai se pôr antes das oito e meia, no mínimo.

Ela sorri.

— Vou pedir. Vou pedir *perdão*.

— Que corajosa, Cherry — falo. — Beleza. Agora se manda.

Ela revira os olhos e sobe o morro, desaparecendo entre as palmeiras.

— Acha que dá para manter o pau dentro da calça hoje? — Kas pergunta.

— Duvido.

Ele me cutuca de novo. Tomo a vara de sua mão e bato nele com ela. Kas ri e massageia o ponto dolorido.

— Se formos expulsos da casa da árvore, não teremos para onde ir. Então, comporte-se.

— Pan não expulsa ninguém. Ele mata logo de cara. Se ele ficar de saco cheio da gente, já era. Então, nem sei por que está preocupado.

Ele resmunga consigo mesmo.

Fecho os olhos e me afundo na rede. As cordas rangem. Ficamos quietos até Kas recomeçar:

— Tilly virá hoje à noite.

— Eu sei.

— Tenho saudade da nossa irmã.

Suspiro.

— Eu também. — E do palácio. Dos dramas da corte. Eu era feliz lá.

— Acha que um dia ela vai nos perdoar?

— Acho que não.

É difícil perdoar os irmãos que estriparam o pai bem na sua frente.

— Sabe no que ando pensando desde Merry? — Kas comenta.

— O quê?

— Se nossa querida irmã realmente fez o que afirma ter feito com as Darling.

Arregalo os olhos.

— Acha que ela está mentindo para Pan?

Kas se vira na rede e coloca os pés na areia.

— E se estiver? O que faremos a respeito?

— Eis a pergunta de milhões.

— Eu sei.

Encerramos o assunto.

Temos medo da resposta.

14

BROWNIE

BROWNIE NÃO TEM NOME.

Ele é mais velho que a maioria na ilha, só não é mais velho que Peter Pan.

Até Brownie não tem certeza de onde Pan veio ou o que ele é.

É inegável que tem uma conexão com a ilha, que ele e a terra possuem um ao outro. O que explica o porquê de a energia da ilha estar como um ninho de vespas que foi atiçado com uma vareta.

Brownie se lembra de quando Pan era rei e não quer voltar ao que a Terra do Nunca era sob seu regime, mas, para se livrar dele, precisam de um plano. E Brownie colocou um em ação, há muito tempo, com Tinker Bell; que as estrelas guardem sua alma.

Correndo pelo palácio subterrâneo dos fae, os sapatos de couro de Brownie são silenciosos no chão de pedra rugosa. As trepadeiras sobem pelas paredes. Elas são pontilhadas por prímulas, cogumelos e hibiscos cor-de-rosa. O ar tem aroma de vinho doce e badala com as fofocas.

Quando entra na sala do trono, Brownie encontra a Rainha Tilly a uma mesa redonda, tomando chá na companhia de outros fae da nobreza. Um diadema dourado foi trançado em seus cabelos escuros. Um rubi brilha no centro. Tilly tem a aparência de uma garota de dezoito anos, mas é mais velha também.

Todos na Terra do Nunca são mais velhos do que aparentam.

Os fae não envelhecem como os mortais, mas mesmo estes escaparam do pedágio do tempo agora que a Sombra da Morte se foi.

— O que houve? — ela pergunta ao vê-lo.

Quando Brownie é visto, sempre tem um quê envolvido.

— Peter Pan pegou a Darling — responde ele.

— Deixem-nos a sós — ela ordena, e todos se retiram rapidamente.

Brownie espera até a rainha lhe dirigir a palavra, com as mãos atrás das costas.

Quando o cômodo se esvazia, exceto pelos dois, Tilly se vira para ele.

— Esta Darling... É filha de Merry, certo?

— Sim.

Tilly anda pela sala do trono. Demora três minutos para cruzá-la de uma ponta a outra. É uma sala muito grande.

— Diga-me no que está pensando.

Brownie atravessa a sala para ficar ao lado dela, sob o brilho forte de uma lanterna de pixies.

— Ele está perdendo a ilha. Eu sinto.

Tilly assente.

— E?

— E acho que ele não terá chance com outra Darling.

A rainha assente outra vez e morde a parte interna da bochecha.

— Ele vai me convocar em breve, e eu farei o que sempre fiz. Nada mais, nada menos.

— Perdoe-me por falar sem ser perguntado, minha rainha, mas, se quer a ilha, agora seria a hora de tomá-la.

Tilly o encara acima de seu nariz fino. Ela tem as feições felinas da mãe, mas os olhos guerreiros do pai. É a rainha mais feroz que já governou os fae da Terra do Nunca. Brownie gosta de servi-la.

Mas ela poderia fazer muito mais.

— O que sua mãe iria querer? — Brownie pergunta.

— Tinker Bell já amou Peter Pan.

— Sim, e ele a matou. Não deixe que sua morte seja em vão.

— Não me diga o que fazer, Brownie.

— Claro, minha rainha. Mas... — Comparada a Brownie, a rainha é só um bebê. Às vezes, é cansativo ficar incentivando-a a entrar em ação. — Talvez possamos usar seus irmãos para...

— Não! — A rainha é enfática e Brownie se cala. Os gêmeos sempre foram seu ponto fraco. Mas eles são uma vantagem que poderiam usar para destronar o rei. — Não preciso fazer nada. Preciso apenas dar tempo ao tempo, como sempre fiz. Peter Pan vai cair, pois vou fazê-lo cair. Ele vai desmoronar e, então, eu vou clamar sua sombra e o trono será meu por direito.

— E os gêmeos? — pergunta Brownie.

A rainha quer fingir que não ama os irmãos mais velhos, mas Brownie sabe a verdade.

Sempre que alguém os menciona, ela sente a mesma facada, como o pai. Por isso, é proibido pronunciarem o nome deles.

— Não me importo com meus irmãos — ela fala e começa a se retirar. — Enquanto isso, descubra o que Gancho anda fazendo. Não quero lutar com ele também.

Então a rainha se vai, e Brownie entra em ação.

15

WINNIE

Uma hora depois de Cherry ter ido embora, Kas entra no quarto e me solta. Infelizmente, ele está de camisa hoje. As pontas de sua tatuagem aparecem pelo colarinho.

— Se prometer ficar por perto — avisa ele —, eu te deixo solta.

Faço um olhar inocente.

— Peter Pan já me avisou que não tenho para onde fugir. — Ele assente. — Vou ao banheiro.

— Eu espero, quero falar com você.

Quando a porta bate atrás de mim, vou até a penteadeira e me olho no espelho.

Ainda sou a mesma: pálida, grandes olhos verdes, cabelos escuros. A aparência é a mesma, mas não me sinto igual.

Toco o vidro do espelho. Frio sob o toque, e um alívio me aquece por dentro.

Uso o banheiro, depois lavo o rosto com água fria. Quando saio, Kas está na poltrona, o cotovelo apoiado no braço, a mão fechada em torno do maxilar forte.

Algo o incomoda. Eu sinto.

Conheço bem a ansiedade. Aquela sensação que vai te devorando por dentro, até parecer que você vai explodir. Para mim, ao menos, é assim.

Sento-me na ponta da cama.

— E aí?

Estou neste cativeiro há dois dias, mas Kas me dá segurança, fico confortável em sua presença. Acho que é porque ontem ele teve a oportunidade de me comer e não comeu. Ele é o bonzinho mesmo.

— Meu irmão me contou sobre ontem — começa.

— Ah, sim.

— Sinto muito por ele ter feito isso.

— Não sinta. — Eu lhe asseguro, mas ele franze o cenho. — Eu gosto de sexo, Kas. Não tenho medo disso.

Ele se senta para a frente, as mãos unidas.

— Você foi raptada e estava acorrentada na cama.

— O que deixou tudo ainda mais gostoso... — eu digo com um sorriso meigo.

Kas suspira. Ele não sabe que estar acorrentada a uma cama é o de menos que já passei. Puxo o colarinho para que ele não veja minhas cicatrizes.

— Não podemos tocar nas Darling — ele diz, a voz ficando áspera. — Bash sabe disso e quebrou a regra porque é um babaca arrogante e egoísta.

— Ah, faz meu tipo.

Ele faz uma carranca ainda pior.

Eu rio e ele finalmente entende a piada e relaxa.

— Tá bom. Tudo bem. Que bom que está lidando bem com tudo isso.

Ah, se ele tivesse me visto ontem à noite.

Meu Deus, como eu gostei de Pan nos observando. Mais do que deveria. A lembrança, ainda vívida, aquece meu clitóris.

Estou com fome, e não é de comida. Fico toda arrepiada e esfrego os braços, tentando espantar a excitação.

— Cherry quer te convidar para a fogueira hoje. Você quer ir?

— Peter Pan está de acordo com isso?

Kas emite um som estranho pelos lábios carnudos. Só de pensar nessa boca na minha…

Santo Deus, estou prisioneira aqui e só penso nesses caras me pegando. Qual é o meu problema?

Bem, ontem pensava que iria enlouquecer. Isso é bem melhor. Prefiro isso mil vezes.

Talvez eu seja só uma garotinha num parque de diversões.

— Isso é um não? — questiono.

— Ele ainda está na tumba, então não sabe. Vai saber o que ele pensará a respeito quando acordar.

— Então melhor já estarmos bêbados até lá.

Ele ri outra vez e me olha com tamanha intensidade que meu coração dispara.

— Você é diferente das outras — ele comenta, com voz grave, sem fôlego.

— Sou?

Ele faz que sim.

— Quando uma Darling chega, nós nos preparamos para gritos e choradeira. E você fica aí fingindo que está de férias.

— Ah? Isso aqui não é um resort?

— É disso que estou falando. — Ele coça a nunca. O cabelo comprido ainda preso em um coque. Qual será o comprimento? Ele é maravilhoso de um jeito só dele. Diferente de Pan e de Vane. Todos são maravilhosos.

Deixam o time de basquete no chinelo.

— Espera, você falou que Pan está numa tumba? — Kas recua. — Por que numa tumba?

— Isso é conversa para outro dia. Se estiver com fome, Bash está na cozinha.

— Vocês gostam de me alimentar.

O olhar dele passa pelo meu corpo.

— Você está precisando de comida.

Tudo é diversão até eles perceberem seus defeitos; até te abrirem e te verem por dentro.

— Não te contei? Na verdade, sou uma assassina. Ser magrinha assim facilita entrar em locais apertados.

Ele me encara.

— Não precisa fazer isso.

— Fazer o quê?

— Fingir. Esta ilha anda fingindo há tempo demais. — Ele se vira para a porta. — Vem quando estiver pronta. — E então se vai.

Fico pensando no que ele falou.

O problema é que não sei parar de fingir.

Na cozinha, Bash está sozinho.

O sol do entardecer entra pela janela e pinta o oceano ao longe com pinceladas reluzentes de dourado e cor-de-rosa.

Bash está na bancada, misturando alguma coisa numa tigela. Está sem camisa e todos os músculos e tendões dos braços e do peito movem-se em sincronia, de forma quase hipnotizadora.

Ele é o cozinheiro, mas no seu corpo não tem gordura alguma. Parece feito de mármore.

— Bom dia, Darling — ele fala e me olha.

— Boa tarde, você quer dizer?

— Tipo isso. — Ele pisca para mim e uma mecha dos cabelos pretos cai sobre sua testa.

— O que está fazendo?

— Torta de madressilva.

— Parece deliciosa.

— E é.

— Você se acha, né? — Eu digo ao me sentar em uma das banquetas de frente para ele.

— Se você não é a pessoa mais interessante que conhece, então tem algo errado.

Levanto uma sobrancelha.

— Alguns diriam que é narcisismo.

— Se você não se coloca num pedestal, quem vai colocar?

Enfio o dedo na massa.

— Darling — ele faz tsc-tsc —, boas meninas esperam sua vez.

Seu olhar fica obscuro.

Sinto frio na barriga e aperto a boceta.

Bem.

Chupo o dedo até ficar limpinho.

Ele não tira os olhos de mim.

Seu maxilar fica tenso e, então, ele enfia o dedo na massa também e aponta para mim.

— Parece que o meu também precisa de uma limpeza.

Droga. Já joguei esse jogo antes, mas nunca com alguém como Bash.

Geralmente, sou eu quem joga a isca. Não o contrário. Não sei o que fazer. De repente, sinto-me ingênua e despreparada.

E acho que deve ser pelo jeito como Bash me olha, como se eu fosse um brinquedo.

Apoio-me por cima da bancada, indo ao seu encontro. Abro a boca, e Bash desliza o dedo para dentro. Passo a língua, limpando a massa doce. Ele respira fundo, com dentes cerrados.

— Droga, Darling — sussurra ele. — Assim você me mata.

Puxo os lábios e giro a língua na ponta dos dedos. Ele treme. Eu voo alto, sentindo-me poderosa, sentindo prazer em dar prazer.

Passos se aproximam e Bash se afasta, frustrado.

Olho por cima do ombro e dou de cara com Vane, gloriosamente ameaçador. Ele faz uma careta para nós dois e foca com seu olho bom, o violeta, na mão esticada de Bash.

Ele também está sem camisa e é todo tatuado. Dá a volta na bancada e vejo uma tatuagem enorme de caveira com dentes afiados nas costas.

Lado a lado, Bash e Vane são quase da mesma altura, mas Vane tem alguns poucos centímetros a mais, o que o faz ter, eu diria, bem mais de um e oitenta. Bash é mais robusto. Vane tem linhas mais esguias e definidas, como um lutador brutal e musculoso.

Ele enfia dois dedos na massa, e Bash faz uma careta. Então, silenciosamente, Vane dá a volta na bancada e limpa os dedos grudentos na minha boca.

Sou pega de surpresa e respiro fundo.

Quando ele se afasta, a massa pinga do meu queixo.

— Melhor assim — diz ele e me encara, esperando minha reação.

A fúria sobe pela minha espinha. Nunca fui violenta, mas poderia mudar isso por Vane.

Mas é isso mesmo o que ele quer, né? Quer me provocar. Todos querem, cada um a seu modo.

Respiro fundo, lambendo os lábios e limpando tudo.

— Hum — digo —, que gostoso.

A frustração lampeja no olho bom dele.

Apresento a ele o mesmo show que dei para Bash. Limpo o resto com o indicador e praticamente fodo a minha boca com meu dedo.

E, então, o olho violeta dele fica preto. Eu cambaleio e ele avança para cima de mim.

— Vane — Bash chama.

Vane me puxa pela nuca e me dobra sobre a bancada, forçando meu rosto sobre a pedra fria. Fico sem fôlego quando ele se pressiona contra minha bunda e sussurra no meu ouvido:

— Quer saber o que faço com menininhas bonitinhas como você?

Sua voz é áspera e trovejante, o tipo de voz que sai da garganta de monstros em filmes de terror.

O medo sobe pela minha espinha e se espalha pelos ombros. Não consigo conter um choramingo que sai pela minha garganta.

— *Vane* — Bash repete.

Vane está duro na minha bunda, afundando-se em mim. Meu coração dispara de terror.

Estou apavorada e cheia de tesão. Não sei o que isso diz a meu respeito.

Vane me empurra pelo pescoço.

— Você não duraria dez minutos comigo — ele diz.

— Tá bom, ela já entendeu — Bash fala.

— Será? Você entendeu, Darling?

Meu clitóris está queimando e, instintivamente, arqueio as costas, empurrando minha bunda contra ele. A mão dele serpenteia para a frente, cobrindo minha vulva.

Meus joelhos cedem, mas a pegada dele é firme e não me deixa cair. Meu cérebro diz que preciso sair dali, colocar-me em segurança, mas meu corpo pede mais, mais, *mais*.

Há muito tempo não me sinto assim. Firme no meu corpo. E aproveitando cada segundo.

Já transei tanto, perdi a conta de quantas vezes, mas nunca estive nas mãos de alguém que sabia o que estava fazendo.

Vane esfrega meu clitóris com os dedos e acho que ele está me punindo com prazer em vez de dor.

Arfo contra a bancada.

Ele muda de posição e a calcinha vai para o lado. A sensação me faz despencar em cima da bancada.

Mais.

Mais.

E, de repente, ele some.

Desta vez, caio no chão.

— Darling — Bash fala e dá a volta na bancada, agachando-se ao meu lado.

— Tô bem.

Ele me levanta com facilidade e mantém o braço em volta da minha cintura. Ainda estou queimando, trêmula de desejo. A calcinha ensopada.

Olho para Vane. O olho preto voltou ao tom violeta.

Não foi questão de terror desta vez. Foi a arte da provocação. Ele me mostrou do que é capaz com tão pouco esforço.

Respiro fundo e arrumo a saia. Bash é quente e firme ao meu lado.

Vane me olha com indiferença. Sei que quer que eu chore ou implore. Então, faço o oposto.

— Vocês têm alergia a camiseta?

Bash suprime a risada. Vane fica puto.

Ele não vai me pegar. Está me subestimando.

Ele me olha feio e se vira para ir embora.

— Não acredito que você fez isso — comenta Bash.

— Por quê?

— Porque Vane não dá as costas para ninguém. Ele pune. Domina. Não cede.

— Há uma primeira vez para tudo, certo? Digo, é meu primeiro sequestro, então todos nós estamos tendo algumas primeiras vezes.

Ele ri outra vez e balança a cabeça.

— De onde você surgiu, Winnie Darling?

— Como se você não soubesse.

Ele estreita os olhos e me mede de cima a baixo.

— Mesmo se Pan não encontrar o que procura, fico feliz que esteja aqui dando uma chacoalhada nas coisas. Os deuses sabem que estamos precisando. Todo mundo anda tão mal-humorado.

— Bom, suponho que seja um elogio.

Ele me dá uma piscadinha.

— Certamente foi o que tentei fazer.

Enquanto Bash cozinha, Kas aparece acompanhado de Cherry. Estão carregando engradados de madeira. Dentro, garrafas batem umas nas outras.

— Mais bebida? — pergunto enquanto eles colocam os caixotes na mesa. — Vocês têm um bar inteiro na outra sala.

Cherry pega uma garrafa comprida com um líquido vermelho-escuro dentro.

— As garrafas no bar são do seu mundo e pertencem à coleção pessoal de Pan. — Ela me mostra a garrafa em sua mão. — Isto é vinho de fada.

Já li histórias sobre jovens inocentes que beberam vinho de fada e ficaram presas ou foram corrompidas. Algumas das histórias dizem que, se beber desse vinho, nunca mais volta para casa.

Mas Cherry é humana e parece que ficou bem.

— Posso experimentar? — peço.

Kas abre o armário e pega vários copos. Lá embaixo, no pátio, a festa já começou faz tempo. Música e risada penetram nosso ambiente e me lembro das festas do ensino médio de que já participei. Se não reparar nos detalhes, posso fingir que estou numa noite normal, numa vida normal.

Kas abre a garrafa com as próprias mãos e, então, serve os copos. O vinho faz aquele barulho de glu-glu.

Cherry pega dois copos e me oferece um.

— Vai devagar, é forte.

Cheiro o vinho. Já fiquei bêbada antes, mas geralmente com vodca barata que bebemos direto da garrafa de plástico. Anthony, eu e vários amigos dele.

Sinto cheiro de canela, cravo e talvez laranjas.

Todos me observam.

— Que foi? É uma pegadinha?

Cherry ri e nega com a cabeça.

— É que faz muito tempo que não temos ninguém do seu mundo por aqui, e eu juro que você nunca provou nada como esse vinho.

Bom, a hora é agora.

Tomo um grande gole e o vinho dança na minha boca.

E é... *uau*. O sabor explode na minha língua. Sinto as laranjas e as especiarias, mas tem algo ácido, talvez cerejas ou mirtilos. É uma loucura na boca. No fim, o álcool aquece, e eu engulo tudo.

Arregalo os olhos. Os gêmeos riem de mim.

— Caralho!

— Tá vendo? — Cherry dá um gole no dela.

Kas e Bash viram o copo deles.

Já estou pegando fogo.

Cherry reabastece nossos copos.

— Vem. Vamos para a fogueira.

— Cuidado com a nossa Darling — Kas fala.

Cherry suspira.

— É claro.

Nossa Darling.

Eu sou deles?

A ideia já acende algo dentro de mim. Nunca fui de ninguém. Nem da minha mãe. Ela pode ter me dado à luz e feito o possível para me dar um teto, mas nunca foi capaz de ser mãe.

Só de pensar em pertencer a alguém já é algo estranho e satisfatório.

Cherry segura minha mão e me puxa pela varanda. O oceano reluz com mais cor enquanto a brisa sopra em meus cabelos. A varanda fica bem no alto, acima das árvores mais baixas, e as palmeiras permanecem mais altas e esparsas.

Este lugar é tão lindo.

Quando minha mãe falava sobre a Terra do Nunca, eu não prestava muita atenção. Não queria acreditar. Mas ela tinha razão: aqui tem magia. Magia na beleza. E magia real também.

Lá embaixo, o fogo está aceso em um poço de pedra e deve ter quase umas trinta pessoas, a maioria da minha idade. Ou que, pelo menos, parecem ter a minha idade.

Um jogo animado de cartas está rolando em uma mesa redonda e, do outro lado da fogueira, um menino toca ukelele acompanhado de outro no violão.

— De onde veio toda essa gente? — quero saber.

Cherry me puxa para perto da balaustrada, de modo que observamos a festa enquanto conversamos. Lanternas piscam, dependuradas em ganchos de arame em volta da clareira.

— A casa é gigante — explica Cherry. — Você fica numa parte chamada de loft. Vane, Kas e Bash moram lá. O resto dos Garotos Perdidos mora no térreo. São muitos. Nem sei quantos.

— Mas de onde eles vêm?

Ela dá de ombros.

— Da cidade. Do seu mundo. Do lado do Gancho. Muitos lugares. Garotos Perdidos são desajustados, que não pertencem a lugar nenhum ou que não querem crescer.

— Eles têm magia também?

— Geralmente, não. Pan não permite fae. Bash e Kas são exceções.

Olho por cima do ombro, pela porta de vidro da cozinha. Kas está explicando algo com os braços bem abertos, e Bash dá risada.

Percebo que ainda não sei tudo sobre eles. E estou louca para saber.

— Toda hora ouço falar dessa cidade. Onde fica?

— Para lá. — Cherry aponta de volta para a cozinha, e suponho que fica bem mais além. — Mas Pan provavelmente não vai deixar você conhecer.

— Qual é o tamanho dessa ilha?

O cara do violão começa um ritmo mais animado, e o ukelele se adapta à batida.

— Bem grande. A pé, deve demorar meio dia de caminhada para chegar ao outro lado.

Uns quinze quilômetros, então.

Isso pelo menos me dá alguma noção.

— Vem. — Cherry segue na direção da escada, mas eu permaneço na varanda.

Várias trepadeiras tomaram conta da pedra e rosas arroxeadas brotam delas, perfumando o ar com um odor forte e doce.

Dois dias atrás, eu temia estar ficando louca como minha mãe e, agora, estou numa ilha, em outra realidade — *supostamente* — rodeada por fae e meninos malvados, tomando vinho mágico.

Como as coisas mudam rápido.

Mas continuo não querendo ficar louca e acho que o modo como Pan quer entrar na minha mente é justamente esse.

Fico pensando no que minha mãe deve ter passado por aqui. Pan deixou claro que ele e os Garotos Perdidos não tocam nas Darling, mas, obviamente, fazem algo com elas. Senão, não haveria esse legado de insanidade na minha árvore genealógica.

Consigo ajudá-lo a encontrar sua sombra sem derreter meu cérebro?

Tomo mais um gole do vinho, que sobe direto para minha cabeça, relaxando a tensão nos ombros. Álcool deixa tudo melhor.

Seco o copo e me volto para os meninos, erguendo-o. Kas considera um pouco, observando-me.

— Por favor? — peço com um olhar inocente.

Bash ri e sacode a cabeça.

— Tá bom. — Kas tira a rolha e me serve bastante. Aquela chama se reacende ao pensar em pessoas preocupadas com o que faço ou deixo de fazer. Quero testar a força dessa preocupação, ver até onde ela vai.

— Obrigada. — Sorrio para Kas e sigo atrás da Cherry. Estou começando a gostar daqui. Mais do que deveria.

Cherry e eu estamos jogando baralho com alguns dos Garotos Perdidos. Não sei o nome deles e eles não perguntaram o meu. O menino do meu lado é baixinho, tem cabelo ruivo, cheira a cigarros e sacanagem.

A mão dele está sob a mesa, sobre a minha coxa. Todo mundo aqui tem mão boba, percebo logo, e tenho certeza de que tinha um casal transando do outro lado do pátio agora há pouco.

É um lugar de devassidão selvagem, um parque de diversões do qual não quero sair.

Sempre amei parque de diversões. Os brinquedos e as sacanagens.

A mão dele sobe, e minha saia também. Dou uma risadinha de excitação.

Não sei quanto já bebi. Parece que ainda não foi o suficiente, mas talvez já tenha sido demais.

— Gable! — Cherry grita e bate as cartas na mesa. Os outros reclamam.

Gable é um jogo de cartas que eu não entendo e só perco. Mas não tô nem aí. É o melhor dia da minha vida.

Kas e Bash chegaram há uma hora com a comida e passaram as bandejas com as tortinhas mais lindinhas e biscoitos de gengibre que fazem minha língua arder.

Por que eu tinha medo de vir para cá? Poderia me perder aqui. E nunca mais querer ser encontrada.

O garoto se aproxima e eu me animo com a atenção. É assim que eu me sinto viva, quando alguém me toca, quando meus nervos estão à flor da pele. Às vezes, é difícil sentir alguma coisa, qualquer coisa.

Cherry ri e cai da cadeira, o menino ao seu lado a ajuda a levantar.

Meu ruivinho maravilhoso me puxa para seu colo e sinto seu pau duro. Ele não é nenhum Bash ou Kas e certamente não é nenhum Pan, mas dá para o gasto.

Eu me inclino sobre ele e o beijo.

ALGUÉM ME ACORDA COM UM CHUTE NA CAMA.

— É bom que seja algo importante.

— Os gêmeos estão dando uma festa — diz Vane. — E a Darling está bêbada.

Sento-me imediatamente, uma sensação estranha queimando no peito.

— Que porra é essa?

— Pois é. Foi o que eu falei.

— E por que você não os impediu? Ou ela?

— Não sou babá dela.

— Ah, Vane, fala sério. — Jogo o lençol preto de lado quando Vane liga o abajur. A luz imediatamente borra minha visão. Cambaleando, pego minhas roupas num canto. Quero descer correndo, mas ainda há luz do sol. Eu sinto.

— Ela está bêbada demais? — pergunto enquanto visto a calça.

Juro por Deus, se algum desses babacas encostar nela...

Vane dá de ombros.

— Quando desci, ela estava no colo de um dos novos Garotos Perdidos.

Um rugido treme no meu peito.

Vane me observa intrigado, com apreensão reservada.

Ele vê algo que nenhum de nós dois reconhece.

Visto uma camisa qualquer e aproximo-me da porta, a mão já no jeito para abri-la assim que a luz sumir.

— Pense bem no que vai fazer — Vane fala preguiçosamente.

— Você devia ter ficado de olho nela.

— Desde quando nos importamos se ela dá ou não para um Garoto Perdido?

— Eu me importo.

— Por quê?

Abaixo a cabeça e respiro fundo. Não tenho uma boa resposta para isso, e o silêncio denuncia.

Por que me importo? A regra serve para mim, Kas e Bash, Vane. Somente para nós. Foda-se o que os demais Garotos Perdidos fazem.

A pergunta então permanece: por que me importo?

Não sei. Não sei por quê.

Transar com uma Darling não tem nada a ver com entrar em sua mente.

Preciso de suas memórias herdadas, não de sua linda bocetinha.

— Você está sendo imprudente — diz Vane. — Você tem o hábito de ser imprudente, mas, agora, não estou entendendo e não estou gostando. — Ele pressiona as costas na parede ao lado da porta e cutuca as unhas. — Pare por um instante e considere as opções…

O sol passa a linha do horizonte e abro a porta.

— Tem razão. Violência, então. — Vane me segue pela escada. Desço dois degraus por vez. Pelo caminho todo, ele canta a melodia cadenciada atrás de mim. — Três, dois, um. Um, dois três. Tomem cuidado: Peter Pan vai matar vocês.

As portas que dão para o pátio estão abertas e a música reverbera.

Observo a multidão de Garotos Perdidos, a frescura do ar noturno ainda claro o suficiente para que as lanternas sejam apenas um brilho nebuloso.

Avisto a Darling do outro lado do pátio, trepada em um ruivo. Os seios dela estão no rosto dele, que olha para cima, para ela, embevecido e faminto.

Sinto novamente um nó no peito. Fico cego de raiva.

Alguns me veem e se afastam, a multidão abrindo alas para eu passar.

O Garoto Perdido sem nome me vê chegando, confuso. Então, olha para ela outra vez e entende tudo, tomado de terror.

— Ah, merda. Pan, eu não sabia...

Arranco a Darling de cima dele e a jogo nos braços de Vane.

— Ei! — grita ela.

Quase não tenho mais magia, mas tenho *poder*.

Então, quando agarro o garoto pelo cabelo e lhe dou um soco no peito, minha mão lhe atravessa os ossos, e eu agarro e arranco seu coração.

O sangue respinga por tudo, salpicando a noite com manchas carmesim. Respinga por todo o meu rosto e eu, enfim, respiro, a urgência se desfazendo dentro de mim.

A festa cai no silêncio enquanto o sangue pinga na pedra. O corpo do garoto cai da cadeira, de olhos arregalados, morto.

Quando me viro para a Darling, com um coração na mão, seus olhos estão cheios de lágrimas.

Que bom.

Ela precisa saber... aqui não há príncipes encantados. Apenas monstros.

E eu sou o pior.

17

WINNIE

Peter Pan larga o coração no pátio e usa a mão ensanguentada para puxar meu braço e me arrastar para fora dali.

Ainda estou meio bêbada, mas aquela zonzeira gostosa passou, deixando-me trêmula e com os pensamentos enevoados.

Pan acaba de matar um garoto. Arrancou o *coração dele*.

Isso realmente está acontecendo?

A multidão se dispersa enquanto Pan me arrasta pelo pátio e escada acima. Kas, Bash e Vane nos seguem.

Tento não tropeçar.

De volta ao loft, Pan me joga numa cadeira na sala de jantar e coloca as mãos uma de cada lado do assento, prendendo-me ali.

Seu rosto está respingado de sangue. Sinto frio na barriga ao vê-lo coberto de carnificina.

— Qual parte disso tudo você não entende, Darling? — A voz dele é uma lâmina raspando minha pele. Um movimento em falso e ela me abre, jorrando sangue para fora.

— Pan — Bash começa, mas Pan o interrompe com o olhar, silenciando-o.

— Tenho regras — prossegue Pan.

— Fiquei sabendo.

— São para sua segurança.

— Ah, é? Até onde eu sei, fui sequestrada.

Seu maxilar se tensiona, cerrando os dentes.

— Estou tentando salvar essa merda de ilha.

— Não tô nem aí — eu me escuto falando. — Aqui não é minha casa. E eu não peguei a droga da sua sombra.

Ele faz uma careta e olha feio para além de mim.

— Quem contou para ela?

— Não fomos nós — afirma Kas.

— Não olhe para mim — diz Vane. E então: — Provavelmente foi Cherry.

— Vai matar Cherry também? — jogo na cara dele. — Talvez eu seja a próxima. Vai cavar minhas entranhas para achar suas respostas? Talvez estejam impressas nos meus ossos. — Mostro o dedo do meio para ele, fazendo uma carranca.

Peter Pan fica silencioso e impassível por um segundo e, de repente, me levanta e me pressiona contra a mesa.

— O que você está fazendo? Qual é o seu plano? Trepar com todos os Garotos Perdidos da ilha só para me provocar?

Faço uma careta, sacando as palavras que ele usou. Sempre aprendemos algo com as palavras e o modo como são ditas. São facas ou bálsamos.

Me provocar.

Me provocar.

Tirei o lendário Peter Pan do sério, e meu coração bate mais rápido de excitação.

— Sim — ouço-me respondendo. — Todos me chamam de Winnie Vagaba, sabia? Transar com garotos é minha especialidade.

Ele respira tão profundamente que troveja no fundo de sua garganta.

Eu tremo debaixo dele, mas não de frio. Nunca é de frio. Sinto a fúria crescendo em seu corpo, o tremor antes do terremoto.

Tenho um segundo para respirar antes que Pan me gire e me dobre em cima da mesa.

A mão esquerda me pressiona pela nuca, apertando meu rosto contra a mesa de madeira. A outra mão puxa minha saia para cima e abaixa minha calcinha.

Estou arfando e minha respiração espanta uma folha de cima da mesa.

— Se quer trepar com Garotos Perdidos — diz Peter Pan —, por que não começa de cima?

Ele abre minhas pernas, me deixando toda arreganhada, e ouço o zíper da sua calça.

— Se eu quiser, eu trepo — desafio.

Meu coração bate tão forte que posso jurar ouvi-lo martelando na mesa.

Isso é loucura, tudo é uma loucura, mas minha boceta lateja, meu clitóris pulsa e sinto que estou ficando mais molhada a cada segundo.

Sinto Bash, Kas e Vane atrás de nós, observando, e sinto um frio insano na barriga.

A cabeça do pau de Pan entra na minha abertura e solto um gemidinho. A mão dele se enrosca nos meus cabelos.

— Se quer agir como puta — ele se inclina sobre mim —, vou te tratar como puta.

Ele soca dentro de mim.

Fico sem ar.

Um dos gêmeos diz "caralho" bem baixinho enquanto a mesa balança com as estocadas de Pan.

Ele é grande e me alarga. Fico tensa conforme ele entra e sai, não com rapidez, mas com força.

Não estou mais embriagada, e só sinto a necessidade da minha boceta, quero ser saciada.

Estou molhada. Pan está duro feito pedra.

Um gemido escapa da minha garganta seca conforme a pressão aumenta no meu clitóris. Rebolo embaixo dele como uma gata no cio, tentando esfregar meu grelo inchado.

Pan sabe o que estou fazendo.

Ele vai com a mão até lá, depois para, com o pau completamente em mim.

Eu até engasgo.

— Você quer gozar, Darling? — ele provoca, com a voz áspera, na minha orelha.

— Sim — mal consigo falar.

— Então implore.

— Quê?

— Implore, Darling.

Fecho os olhos com força, tentando voltar minha alma para o corpo. Acho que ela está flutuando nas estrelas.

Nunca me senti tão... viva.

— Por favor. — Respiro fundo. — Por favor, posso gozar?

Ele mexe os dedos até achar aquele calor inchado. Eu grito e rebolo ainda mais debaixo dele.

Pan para outra vez, tira um pouquinho do pau e, então, enfia novamente, devagarzinho, provocando.

Estou praticamente vibrando contra a mesa.

— Por favor, Pan. Meu Deus.

— Goza. Goza para mim enquanto os Garotos Perdidos ficam assistindo.

Então, ele gira dois dedos em volta do meu clitóris, apertando-me, e eu me rendo.

Estou voando. Bem alto.

Estrelas brancas piscam nos meus olhos. Perco o ar. Um gemido agudo escapa da minha garganta.

Meus nervos queimam de prazer e o calor se espalha pela minha boceta. Aperto o pau dele quando ele enfia mais.

Pan vai ficando cada vez mais duro, preenchendo-me. Suas mãos me seguram pelo quadril e ele mete até o fundo, gemendo tão alto que me arrepio toda.

Pan não para enquanto goza, mirando no fundo da minha vagina, a cabeça do pau pulsando enquanto cospe todo aquele sêmen até o final.

Ele sai de dentro de mim, e fico caída sobre a mesa, arfando.

Quando acho que acabou, Bash dá a volta em torno da mesa, com o pau bem duro sob a calça.

— Posso? — Bash pergunta.

Peter Pan cai em uma cadeira e acena que sim.

Bash vem atrás de mim. Em segundos, arranca o pau para fora e se acomoda dentro do meu calor.

— Ah, Darling, sua putinha... toda lambuzada.

Tremo quando ele fala isso.

— Irmão — ele chama —, vem cá.

Kas hesita, e eu olho para ele. Há algo sombrio em seus olhos. Uma fome que não deseja saciar.

Ele é o bonzinho, mas acho que não é bonzinho o suficiente para negar o desejo.

Então se levanta, empurra uma cadeira com um chute e se aproxima do meu rosto na beirada da mesa.

— É isso aí — Bash fala ao me penetrar. — Enfia o pau do meu irmão nessa boquinha.

Kas não espera. Está decidido, pronto para entrar em ação.

Ele pega uma mecha do meu cabelo, enrola no punho e guia minha boca. E então me preenche enquanto Bash estoca.

Meu coração acelera nos meus tímpanos, batendo com força no peito.

Kas mete na minha boca com força, atingindo o fundo da garganta. Eu engasgo e Bash me aperta na cintura.

— Engole tudo, Darling. Seja uma boa menina.

Caralho!

Porra, que tesão.

Lágrimas enchem meus olhos enquanto os gêmeos me preenchem, fodendo-me pelos dois buracos, sem parar, sem pena.

Noto Peter Pan nas sombras, observando-me enquanto sou comida, com um olhar que me parece de satisfação.

E, de tudo o que aconteceu essa noite, é isso que faz eu me sentir mais poderosa.

Estou viva, caralho!

Bash me come com mais força. Kas mete na minha boca, gemendo com rouquidão.

— Pronto para gozar nela, irmão? — Bash pergunta.

— Ah, se eu tô, caralho — responde Kas.

E, em uma perturbadora sincronia de gêmeos, ambos gozam ao mesmo tempo.

Kas goza na minha garganta, e sua porra é doce na minha língua, enquanto Bash goza dentro de mim com um gemido grave.

Meu olhar está travado com o de Peter Pan. O dele está reluzindo, seus lábios estão molhados.

Não gozei de novo, mas fica quase parecendo que sim, pois meus nervos estão excitados, minha barriga, incendiada.

Os garotos saem de mim e permaneço dobrada sobre a mesa, respirando profundamente, ainda excitada.

— Ninguém mais toca nela — diz Pan. — Entendido?

Bash ainda está sem fôlego, mas responde:

— Sim.

Os passos de Vane em volta da mesa. Um calafrio percorre minha espinha quando eu o sinto atrás de mim.

Também vai me comer? Me encher de medo e porra? Eu quero isso?

De algum modo, Vane ceder para mim me dá uma sensação mais vitoriosa do que Pan.

Ele me puxa e me vira. Minha bunda está pressionada contra a beirada da mesa, a madeira entrando na minha carne.

Nem uma gota sequer de emoção perpassa o rosto cruelmente lindo de Vane. Impossível ler seus pensamentos naqueles olhos díspares.

— Abre, Darling — ordena ele.

Não sei onde isso vai dar, mas ninguém está impedindo, e minha curiosidade toma conta.

Abro os olhos. Vane se aproxima e cospe na minha boca.

— É só isso que vai conseguir de mim.

Eu cuspo, passando a mão na boca.

— Seu babaca! — Bato nele com os punhos. Mas é como socar uma montanha.

Não adianta nada e é uma idiotice.

Pan me segura.

— Vane — diz ele, em tom de aviso —, não seja um babaca.

— Por quê? Sou tão bom nisso.

Faço uma cara feia, ele sorri de volta, exibindo os dentes brilhantes.

Ele me provocou e agora quero me vingar. De tudo que os meninos fizeram comigo hoje, só isso me irritou.

Idiota.

— Vai — Pan manda.

Vane me lança outro olhar antes de se virar e ir embora.

— Darling — Pan fala e olho para ele —, nunca mais me provoque.

Ainda há sangue em suas mãos, e eu enfim assimilo que ele matou um cara e depois me comeu.

O que está acontecendo? E por que me sinto tão bem, caralho?

Isso faz parte da loucura? Levar-me a outros patamares de prazer e devassidão?

Mas não...

Eles não fodem as Darling.

Ou, ao menos, não antes de mim.

— Durma com os gêmeos hoje — ordena Pan. — Não a deixem sair de vista — acrescenta ele.

— Vem. — Kas me oferece a mão. — Que tal um banho?

Olho por cima do ombro para Peter Pan. Ainda está com a calça desabotoada, mas o pau está para dentro. Descabelado, selvagem, o mito da ilha mítica.

Nem menino, nem homem.

Um rei.

Não sei aonde esperava que essa noite fosse parar, mas não era aqui.

Não estou mais perdida. Acho que enfim fui encontrada.

18

KAS

Levamos a Darling até seu quarto para tomar uma ducha. Enquanto a água jorra, Bash deita-se na cama dela. Com um giro do punho, o teto se ilumina nas cores do entardecer, com estrelas cadentes.

Nós gostamos dessa ilusão por um motivo: lembra-nos a sala do entardecer no palácio fae.

Há dias em que a lembrança de casa dói.

Sento-me na poltrona e apoio os pés na janela. Silêncio no pátio onde o cadáver de um Garoto Perdido perece. Alguém precisa limpar essa bagunça, e não serei eu.

— Por que será que Pan cedeu hoje? — pergunto.

Bash pega uma corda do bolso e começa a dar nós.

— Sei lá. Mas que bom.

A brisa do oceano resfria conforme a noite envelhece. Ela entra pela janela e seca o suor da minha nuca.

— Acha que Vane um dia vai cair na dela?

Bash funga e puxa as pontas da corda com força, criando um nó em forma de trevo.

— Cuspir na boca dela foi um favor. Ela não ia querer Vane. Ele sabia. Por isso fez o que fez.

Meu pau se agita só de pensar em Winnie e sua boquinha linda no meu pau.

Caralho, ela foi a melhor que já tive. Talvez porque era proibida até hoje. Talvez por algum outro motivo.

— A gente devia ter tomado conta dela hoje.

— Se tivéssemos, querido irmão, Pan não teria perdido a cabeça e, se ele não tivesse perdido a cabeça, não teria comido Winnie tentando ensinar uma lição e, se não a tivesse comido...

— Tá bom, caramba. Já entendi.

Um novo nó aparece em suas mãos.

— Quero amarrá-la e fazer umas safadezas.

Bash é melhor com cordas, mas eu gosto de uma menina amarrada, como qualquer um.

— Hoje não — aviso.

— Não, acho que por hoje já tá bom.

A ducha é desligada. Ouço Winnie se secando, sinto o cheiro embriagante de lavanda do sabonete que Cherry lhe trouxe.

Usamos Winnie hoje à noite. Não é a primeira vez que usamos uma boceta para nosso prazer. Mas dessa vez foi diferente.

Winnie é diferente, e não sei por quê.

Com um estalar dos dedos, magia fae preenche o ar e o chão de madeira fica subitamente coberto com musgo macio de floresta e flores bioluminescentes. A luz é falsa, mas preenche o ar com um brilho cor-de-rosa enevoado.

Bash se senta.

— Está mimando Winnie.

— Quero que ela pense que podemos ser gentis.

— Por quê? Ela só vai se desapontar quando perceber que não somos.

19

PETER PAN

UMA ENERGIA SERPENTEIA PELO MEU CORPO E NÃO CONSIGO contê-la.

Tudo está por um fio e a Darling quer brincar desses joguinhos.

Encontro Vane na frente da casa.

— Vou assassinar alguma coisa. Quer se juntar a mim?

— Óbvio.

Andamos na direção da cidade. Vane voa, eu não.

Faz tanto tempo essa porra que nem me lembro mais da sensação de me alçar aos ares. Nem do sol na pele.

Sou frio como gelo e preso à terra, e odeio essa merda toda.

Estou furioso o tempo todo.

— Para onde vamos? — Vane pergunta.

— Vamos matar alguns piratas.

— Não precisa nem pedir duas vezes.

Seguimos a estrada a partir da casa, que ziguezagueia pela floresta, depois cruza o Rio Misterioso, para, enfim, cair no Porto Darlington.

Darlington é minha cidade, fundada com meu sangue e minha magia. Fica na ponta sudeste da ilha, na costa.

— Onde? — Vane quer saber.

— Piratas estão sempre ali no Black Dove.

Passamos pelos ancoradouros onde os barcos chegam de outras ilhas. Há alguns barcos ao longo das docas, mas os piratas gostam de um bar no interior da ilha, mais perto da fronteira, para fugirem facilmente, se necessário.

Esta parte da cidade é mal-iluminada, então a escuridão é mais intensa e as sombras, mais profundas. A bruma cobre o ar e a brisa fria do oceano colide com o calor do centro da cidade.

Vane acende um cigarro e dá uma tragada comprida.

— Então agora transamos com as Darling, é?

Já esperava por essa. Estalo os dedos e ele me entrega um cigarro.

— Não preciso me explicar para você.

— Não. Claro que não. Regras são feitas para serem quebradas, né?

Olho para ele. Vejo apenas seu olho preto e a cicatriz que o cruza. Nunca me contou como se feriu e eu nunca perguntei, mas o fato de que sua sombra controla esse olho me conta tudo de que preciso saber.

Dou outra tragada e devolvo o cigarro.

— Sei lá, Vane. Se for para eu morrer logo, por que não ceder? Hein?

— Você não vai morrer.

Um grupo de bêbados passa por nós na rua de pedras e fica zombando, até perceberem a presença de Vane.

— Perdão, Sombrio. — Eles recuam, em reverência. — Perdão, nosso rei — acrescentam quando dão por minha presença.

Sombrio. Que ridículo. Não sei quem começou, mas agora não dá para mudar.

Descobri que, em todas as ilhas do arquipélago, aquele que fica com a Sombra da Morte é sempre chamado de Sombrio. E, em quase todas as ilhas, aquele que fica com a Sombra da Vida adquire o título de rei. Mas, depois de todos esses anos, *rei* soa como uma palavra estrangeira. Uma língua da qual me esqueci.

Enfim, nunca fui muito adequado ao cargo. Sou mais morte do que vida.

Talvez tenha sido por isso mesmo que a perdi, porque nunca foi minha. E, se não é mais minha, que diabos estou fazendo?

O que acontecerá com a ilha se eu não recuperar minha sombra?

Suponho que os fae possam sustentá-la. Ainda mais se Tilly aceitar os irmãos de volta à comunidade. O palácio fae está fraco sem os príncipes, mas ela é teimosa demais para admitir.

A rua se curva na direção do território fae, e avistamos o Black Dove. As janelas estão acesas, e a folia escapa noite afora.

Vane e eu permanecemos no escuro para examinar o interior do bar.

— Dois homens do Gancho nos fundos — Vane fala e inala o resto do cigarro antes de esmagar a bituca debaixo da bota numa pedra.

— Dois bastam.

Não sinto mais as garras da cautela e da decência. Resta apenas violência.

Vane abre a porta e eu entro.

Em menos de dois segundos, o bar nota quem escureceu a entrada e o local cai no silêncio.

Cascas de amendoim quebram-se debaixo das minhas botas enquanto ando entre as mesas até o canto nos fundos, onde os piratas de Gancho já beberam bastante cerveja.

— Perderam o caminho de casa, é? — pergunto.

O grandão respira fundo, seus ombros quase rasgam o material fino da camisa.

— Só saímos para beber. Não queremos confusão.

— Confusão é algo subjetivo, não é, Pan? — Vane vai até o outro lado da mesa. — O que você acha que é inofensivo, para nós é desrespeito descarado.

O mais baixo gagueja:

— A cerveja é mais gostosa aqui. Mas não contem para o Gancho.

— Não precisaremos contar — afirma Vane.

O grandão segura o copo com mais firmeza.

— Por que não?

— Porque a cabeça decepada de vocês vai contar — digo.

A briga começa com um barulho de algo quebrando.

O grandão ataca Vane. Talvez ele pense que tem mais chance contra o Sombrio.

Vane soca o cara na garganta, quebrando sua traqueia. O cara engasga, sem ar.

O menor treme na cadeira. Pego-o pelo colarinho e levanto-o do chão. Seus pés pedalam o ar inutilmente.

— Desculpa, Pan! Me desculpa! Era só pela cerveja mesmo!

Vane chuta o cara grande e mais ossos se quebram. O sangue contamina o ar. Sombrio vai para fora, olhos pretos brilhando sob a luz oscilante das lanternas da taverna.

— Muitas regras já foram quebradas hoje — conto ao cara pendurado. — Você teve apenas o azar de estar do lado errado da minha impaciência.

Então, jogo-o contra a mesa e ossos saem de seu braço.

20

WINNIE

Nunca dormi na cama com outra pessoa, mas, quando vou para debaixo dos lençóis com Kas à minha esquerda e Bash à minha direita, sinto-me estranhamente satisfeita.

É como dormir entre duas sentinelas ridiculamente gostosas.

Um deles criou uma ilusão no teto e outra no chão, então me sinto aninhada em uma clareira mágica. Florezinhas cor-de-rosa brilham no escuro.

Estou tão feliz e não sei por que nem o que fazer com isso.

É uma sensação que me envolve como um casaco pequeno, tenho a impressão de que tudo vai estourar se eu me esticar demais.

Aconchego-me ao lado de Bash. Ele está sem camisa e um brilho cor-de-rosa o ilumina.

— O que é isso? — pergunto e indico algo em suas mãos.

Ele passa um braço pelos meus ombros, levanta meu braço e prende um bracelete no meu punho. Tem uma semente amarrada em uma corda.

— Um beijo — responde ele.

— Quê?

Ele ri pelo nariz.

— Essa bolota é um beijo. É uma tradição daqui. Só finge que é.

— Ok.

Kas está deitado de barriga para cima, a linha comprida de seu corpo perto do meu, nossas pernas se tocam.

Uma estrela cadente atravessa o teto, deixando um rastro de luz.

— Dois dias atrás, eu pensava que enlouqueceria — digo, girando o bracelete em volta do meu punho, admirando os nós intrincados. — Embora Pan tenha me sequestrado, está bom aqui.

Kas funga. Bash ri, o som retumbante atravessa seu peito.

— Melhor retirar o que disse — avisa Bash.

— Por quê?

Ele suspira.

— Dorme, Darling.

— Não estou cansada.

Grilos chilreiam do outro lado da janela e há um trinado baixo de pássaros na árvore.

Kas se aproxima e rela em uma parte dolorida das minhas costas. Solto um gemido.

— Que foi? — pergunta ele.

— Não é nada. Estou bem.

— Nós te machucamos?

— Não. — Dou risada. — Pelo contrário. Estou bem. Sério.

Na verdade, há algo a respeito da Terra do Nunca e desses Garotos Perdidos que faz a dor diminuir.

Ao longo dos anos, eu me acostumei à dor constante no corpo, enxaquecas, dores nos nervos súbitas e agudas.

Quando se é cortada por bruxas e autointitulados sacerdotes vudu, a dor se torna parte do dia a dia. Preferia a dor a perder a sanidade, então nunca reclamei. Fiz o que minha mãe mandou com a ínfima esperança de não acabar como ela.

Pensar nisso me dá um calafrio. Sei que o que ela fez comigo foi errado e que, se parar para pensar, vou chorar.

Então, não penso. Não quero lembrar.

Uma mãe deve proteger, mas foi a necessidade desesperada de me salvar que causou dor e angústia. Às vezes, era difícil aguentar o amor dela.

Pouso a mão sobre a barriga delineada de Bash e fecho os olhos, enquanto Kas me faz cafuné.

Começo a adormecer, embora pensasse que nem estivesse cansada.

Acho que ser comida por Peter Pan e os Garotos Perdidos é exaustivo.

— Darling? — Bash me chama.

Mal estou acordada.

— Hmmm?

— Qual é sua comida favorita?

A pergunta flutua na minha mente, encoberta pelo sono. Esforço-me muito para decidir e ainda mais para responder.

— Croissants.

Ele ri suavemente.

— Sério?

Estou cada vez mais longe. Esta cama é tão mais confortável que meu colchão inflável, e Bash é quentinho na minha frente, e Kas, atrás, e, antes que eu perceba, apago.

21

WINNIE

QUANDO ACORDO NA MANHÃ SEGUINTE, ESTOU SOZINHA NA cama e a chuva bate na janela. O ar está fresco e limpo, mas bem frio, e estou usando apenas uma camiseta emprestada de Kas. Não fiz a mala correta para um sequestro.

Mas, quando me levanto da cama, encontro um suéter quentinho sobre a poltrona. Logo me enfio nele.

Sigo para a cozinha.

Bash está despejando café fresco numa xícara. Na bancada ao lado dele, uma cesta de croissants dourados.

Seguro o choro.

— Que foi? — Ele está um pouco espantado pela minha reação.

Só agora me lembro de Bash perguntando minha comida preferida. E ele acordou mais cedo só para fazer?

— Obrigada.

— Imagina, Darling. Depois do jeito que sua bocetinha me tratou ontem, é o mínimo que posso fazer.

Por algum motivo, não é o ato que me deu vergonha, mas a lembrança em plena luz do dia. Farei de novo? Com todo mundo?

Eu quero. Quero muito. Só de pensar, meus mamilos apedrejam debaixo das roupas emprestadas e sinto um calafrio entre as coxas. Nunca fiz sexo assim, e olha que já fiz muito sexo no meu pouco tempo de vida sexual ativa.

Sento-me em uma das banquetas e Bash me passa um prato com croissant e o café. O vapor beija meu rosto e me acorda um pouco.

— Cadê todo mundo?

— Kas foi pescar. Vane... bom, quem vai saber para onde ele desaparece. Pan, na tumba, como sempre.

— Por que vocês chamam de tumba? — Assopro o café, espiralando o vapor.

— Porque fica literalmente no porão, não tem janelas, só uma porta.

Igual ao meu quarto especial na nossa casa vitoriana decadente. Talvez eu tenha muito em comum com Peter Pan.

— Por que ele dorme lá?

Bash aponta com o dedão para a janela às suas costas.

— Porque a luz do sol o mata.

— Quê? Sério?

— Sim.

— Por quê? Como?

— Longa história.

— Tenho tempo.

— Come, Darling. — Ele está distraído, a atenção nas coisas da bancada.

Kas aparece em seguida. O cabelo solto e ensopado sobre os ombros. A chuva pinga da ponta do nariz. Sem camisa, é claro. Esses caras não curtem camisa. O abdome é definido e há um sulco profundo na altura do quadril que se afunda para baixo do elástico da bermuda.

Outra onda de calor me preenche enquanto fico de olho na sua virilha. E, quando subo o olhar para o seu rosto, ele me pega no flagra observando-o.

A expressão que surge em seu rosto é sombria e carnal. Arrepio-me toda e seguro mais firme a xícara de café.

— Caramba — Bash fala e aponta para os peixes dependurados na corda trazida por Kas. — Fazia tempo que o mar não estava bom assim para peixe. — Bash pega a corda da mão do irmão e joga os peixes na pia. Alguns batem a cauda e gosma de peixe voa no ar.

— Que nojo. — Empurro meu prato para longe da sujeira.

— Que foi? — pergunta Kas. — Nunca viu peixe morrendo antes?

— Hum, não.

Os gêmeos se entreolham. Sininhos tocam, juro, mas não vejo nenhum por perto.

Não os conheço há muito tempo, mas já reconheço a expressão: travessuras de gêmeos.

Kas estala os dedos para o irmão.

— Excelente ideia.

— Espera, que ideia? — Não ouvi ideia nenhuma.

— Vamos te ensinar a limpar peixe — avisa Bash.

— Não. — Sacudo a cabeça para salientar minha oposição. — Não quero nem preciso.

— Claro que precisa. — Bash sorri para mim.

— Por quê?

— Para se divertir.

— Ugh.

— Termina aí — ele fala, enquanto outro peixe se debate na pia. — Temos muito serviço.

Aparentemente, não tenho saída, pois, assim que engulo meu último pedaço do delicioso, crocante e amanteigado croissant, Bash me puxa para o outro lado da bancada.

— Preciso mesmo fazer isto? — Estou até choramingando e nem me importo.

— Somos seus charmosos sequestradores — Bash diz com um sorriso. — Como negar?

Franzo o cenho e cruzo os braços.

— Aqui, Darling — Kas fala e me entrega algo que parece uma escova de metal. Ele joga um peixe em cima de uma tábua de madeira grossa. Felizmente, o peixe já morreu e não pula. — Segure pelo rabo — diz e dá o exemplo —, então raspe as escamas, do rabo até a cabeça. Assim. — Ele puxa a escova pelo corpo do peixe, as escamas saltam aos montes, e uma gruda na minha cara.

Repuxo a boca quando aquele cheiro forte de peixe entra pelo meu nariz.

Rindo, Kas tira a escama da minha bochecha.

— Nasceu para isso.

— Isso é um dia normal para vocês dois? — pergunto e volto a descamar.

— Pescar na ilha? Fazer bagunça? Sim. — Bash se apoia sobre a bancada à minha frente. — Mas, em alguns dias, precisamos nos dedicar a cuidar de Darling safadas.

Olho feio. Ele dá uma piscadinha.

— Não preciso que cuidem de mim. — Reposiciono o peixe para limpar em volta das barbatanas. Mais escamas voam pelo ar.

— Discordo. — A voz de Kas está suave, mas o olhar é sombrio.

Fico vermelha outra vez.

— Cuidei de mim mesma a vida toda. Quando minha mãe não estava acompanhando velhos branquelos por aí, estava em casa ficando cada vez mais louca. A única pessoa com quem eu podia contar era eu mesma.

— Velhos branquelos, é? — Bash fala atrás de mim.

— Sabe de quais estou falando.

— Claro que sei. Tem uma dúzia deles enterrada debaixo desta casa. Gostamos de acabar com a raça deles.

— Não está falando sério. — Olho para Kas. — Ele está falando sério? — Kas confirma. — Por quê?

— Acho que a pergunta certa é: por que não? — explica Bash.

— Vocês costumam sair matando por aí?

— Sim — responde Bash. — Matamos muito.

— Por quê?

— Porque, neste mundo e no seu, se você não for o monstro, então é a presa. E não podemos ser a presa, Darling. Não de velhos branquelos. — Ele ri como se fosse piada, mas sei que não está brincando.

— Vira — Kas manda.

— Quê? — Pisco para ele, sem entender.

— O peixe. Vira e descama o outro lado.

— Certo. — Obedeço e, quando termino, ele manda eu dar licença. Pega uma faca e passa a lâmina sobre uma pedra, afiando. Os movimentos rápidos emitem um som raspante.

— Está observando? — pergunta ele.

— Sim.

— Insira a lâmina aqui — ele aponta logo abaixo da boca do peixe — e desça até a nadadeira anal.

Fico branca ao ouvir a palavra *anal*. Por que tudo o que eles fazem ganha um tom sexual?

Ele é rápido e preciso nos movimentos, e a barriga do peixe se abre debaixo de sua mão. As vísceras saem.

— Depois, é só cortar aqui. — Ele levanta uma nadadeira e coloca a lâmina no ângulo certo.

— Você é bom com facas — pego-me dizendo.

Kas faz outros cortes e as vísceras saem por inteiro.

— Ele não é bom, é o mestre. — Bash salta da bancada, chega perto de mim e abaixa um pouco a calça, revelando uma cicatriz antiga, desenhada.

É um círculo com várias linhas atravessando e garfos saindo das linhas.

— O que é isso?

— Símbolo da nossa casa — responde ele.

— Desta casa?

Kas para de cortar e olha feio para o irmão.

— Temos mesmo que falar desse assunto?

— Ele ainda está rancoroso. — Bash pega um croissant da cesta e vai para a porta. — Acho que logo vai ouvir falar da nossa irmã, então para que esperar? Somos os príncipes dos fae.

A Darling me olha com o interesse renovado. É por isso mesmo que não gosto de contar para as Darling quem somos, principalmente para esta.

As pessoas nos tratam diferente quando sabem que somos príncipes. Mesmo sendo príncipes conspurcados.

— É verdade? — ela pergunta baixinho.

— É. — Termino de filetar o peixe e jogo a espinha numa tigela, depois pego outro.

— Se é um príncipe, por que está aqui?

— Fomos banidos.

— Por quê?

Começo a abrir o outro peixe.

— Quer mesmo saber?

— Sim.

— Kas e eu matamos nosso pai.

A confissão tira o ar dos meus pulmões.

A lembrança ainda é vívida, mesmo depois de todos esses anos. A raiva que tomou conta de seu rosto quando a lâmina afundou, seguida pelo choque quando percebeu que morreria do ferimento.

Tudo em apenas dez segundos.

Num minuto, nosso pai estava vivo e, no outro, caído no chão, emoldurado pelo sangue.

— Por quê?

— Porque podíamos.

Não é o motivo real, mas esse é mais complicado, e já falei demais.

Se não fosse pela lâmina na minha mão, eu ficaria louco. Entendo o medo de Winnie de ficar louca. Sinto o mesmo todos os dias.

Se eu ficar louco, é o carma.

Termino de limpar o peixe em silêncio, e a Darling me observa, concentrada.

— É para o jantar?

— Não — respondo. — É pagamento.

— Pelo quê?

Enfim, olho para ela. Seu cabelo brilha com maciez após o banho. Fico com vontade de esfregar sangue nele, de sujá-la.

A chuva despenca lá fora. Tudo parece tão distante.

— Para minha irmã.

Hoje, Tilly virá ver a Darling, pois a lua está cheia. Há décadas não a vejo.

Tenho mais saudade do que achei que poderia. Do que achei que teria.

Bash e eu sempre fomos seus defensores e, agora, quem ela tem naquele vasto palácio do outro lado da ilha? Nossa corte sempre foi conspiratória e duas caras.

Odeio pensar na minha irmãzinha sozinha lá, sem seus defensores.

Deveríamos ser seus cavaleiros, príncipes dos fae. Em vez disso, fomos apagados.

23

WINNIE

NÃO SEI O QUE ESPERAR DA IRMÃ DE BASH E KAS. TERÁ ASAS como eles tinham?

Se eles são príncipes, o que ela é?

Estou começando a aprender que nada é o que parece por aqui.

Depois da limpeza dos peixes, passo o resto do dia explorando o loft. Tem a sala, o corredor até os quartos, com o meu no fim, e o dos gêmeos do outro lado.

Outro corredor sai da sala e leva até o outro lado da casa.

Ali, outro banheiro, outro quarto vazio e uma biblioteca. Uma janela redonda gigante dá para o oceano, e a chuva bate suavemente no vidro.

Sentado numa poltrona de couro sob a janela, com as botas sobre uma mesinha, está Vane.

Já estou dentro do cômodo quando o vejo, então paro, viro-me e decido, *não*, não vou fugir. Não foi ele que me disse para não fugir?

Vane está com um livro em mãos, cuja capa é encadernada em tecido preto e o título estampado em dourado. Não consigo ler o que diz.

Quando entro, por meio segundo, seu olho bom foca em mim, semicerrado, antes de se voltar para o livro.

Ele volta a ler, fingindo que nem estou ali.

— O que está lendo?

— Não é da sua conta — responde simplesmente.

Aproximo-me e leio o título.

— *Frankenstein*. Combina.

Ele deixa o livro aberto sobre o peito.

— O que você quer?

Dou de ombros e seguro as mãos atrás do corpo, como uma criança num zoológico. Quero apertar o nariz contra o vidro e espiar as feras selvagens.

— Por que você é tão babaca? — pergunto e me sento diante dele.

— É natural. — Ele sorri, tenso, mostrando os dentes brancos e os caninos afiados.

É difícil olhar para ele sem se impressionar com a cicatriz e o olho preto. É como se houvesse um monstro tentando sair do rosto dele.

— É porque você tem a Sombra da Morte?

Ele fica impassível, olhos faiscando sob a luz fraca.

— E o que a garotinha sabe sobre a Sombra da Morte?

Começo a sentir o temor se aproximando e tento agir de forma casual ao considerar a resposta.

— Não muito. Só que ela te transforma num lunático delirante.

Vane fecha o livro com rispidez e o coloca sobre a mesa.

— E você é o quê, por entrar numa sala sozinha comigo? Tarada por punição?

Droga. Só a mera sugestão de que ele pode fazer algo comigo, dobrar-me sobre o colo dele e me comer contra a parede já me faz apertar a vulva. Aperto as coxas, tentando segurar a sensação que se espalha no meio das pernas.

Claro que ele percebe que estou me remexendo. Ele cutuca a parte interna da bochecha com a língua.

É muita areia pro meu caminhãozinho.

— Talvez sim — admito, pois suspeito que de Vane não consigo esconder é nada. Se ao menos eu pudesse lê-lo com tanta facilidade quanto ele me lê.

— Devia se levantar e ir embora por aquela porta.

— Por quê?

Ele inspira profunda e lentamente.

Ontem à noite, quando ele cuspiu na minha boca, quis acabar com ele. De todos os idiotas com quem já dormi, nenhum me tratou como uma puta, embora eu meio que fosse. Não tenho vergonha das minhas escolhas pessoais. Durante a última década, achei que minha vida fosse acabar no meu aniversário de dezoito anos. Talvez não literalmente. Uma lenta descida pela insanidade.

Então, fiz tudo o que queria fazer, do jeito que bem entendi, porque nada importava mesmo.

Embora eu já tenha feito o aniversário de dezoito anos e agora esteja na Terra do Nunca, e o mito de Peter Pan tenha se provado real, ainda assim não consigo espantar a sensação de que estou nos acréscimos do segundo tempo.

E, se estiver mesmo, quero continuar *pegando*.

Quero fazer o que me der na telha, mesmo que isso me mate.

Então, eu me levanto, mas, em vez de ir para a porta, cruzo a distância que me separa de Vane e me sento em seu colo.

Ele resmunga, mas ajeita os quadris, alinhando-se comigo. Não sei se de propósito ou por instinto.

Ele mantém os olhos na cadeira ao dizer:

— Agora que está aqui, quais são seus planos?

Ele está me tentando, me provocando. Empurra os quadris para a frente. Não está duro ainda, o que me irrita.

Todos aqueles jogadores de futebol americano, necessitados e inexperientes, ficam de pau duro na hora.

Mas… ele fez uma boa pergunta.

Qual é o meu plano? Meu plano não tinha um objetivo. Só um início.

Não posso voltar atrás agora. Não quero parecer uma covarde, e ele vai ficar satisfeito por eu não ter dado conta da minha inconsequência.

Então, faço a única coisa que uma garota pode fazer numa situação dessas — tiro a blusa.

Estou sem sutiã. Assim que meus seios sentem o ar, os mamilos viram pedrinhas duras e escurecidas.

Vane resmunga de novo e agora, *agora*, ficou duro.

Estou tão orgulhosa que poderia sair flutuando naquela nuvem de chuva.

Contanto que ele não veja minhas costas, contanto que não veja minhas cicatrizes. Não quero que pense que sou fraca.

Ele põe as mãos nos meus quadris e me arrocha na sua pica.

Fico sem fôlego.

— Darling, putinha tão linda. Tentando fingir que é mais crescida.

— Sombra da Morte, tentando fingir que nada o atinge.

— Nunca falei isso. — As mãos sobem até a cintura, e o calafrio passa pelos meus ombros. Meus mamilos estão tão duros que doem e buscam calor.

Vane se inclina e coloca a boca no meu seio. Inspiro num gemido enquanto ele passa a língua, depois me morde.

Ele me abraça pela cintura, balançando-me contra ele.

Está acontecendo. Vou pegar todos eles.

Esfrego minha boceta contra a rola dele, desejando não ter roupas entre nós. Dou o primeiro passo ou espero por ele?

Pegue, fala a voz no fundo da minha mente. Pegue o que quiser.

Desço a mão e começo a desabotoar sua calça. Tremo de medo e antecipação.

A qualquer momento, ele poderia jogar aquele poder sombrio contra mim, demonstrar seu terror.

Com a boca ainda no meu mamilo, ele me encara.

— Olhe para mim — ordena.

Seu cabelo escuro cai por cima da testa e o olho violeta cintila.

O ar fica preso na minha garganta enquanto o terror se espalha. Seu rosto está sério.

Antes que eu entenda o que está acontecendo, ele já me prendeu ao chão, o corpo todo tremendo com uma raiva quase incontida.

— Ouça-me com muita atenção, Darling. — Os dentes rilhados. — Você não quer se meter comigo.

Esforço-me para respirar, deixando o terror à espreita enquanto meu coração martela, um aviso em meus ouvidos.

— Só quero que *você* meta em *mim*.

Ele se ergue e dá um tapa na minha teta.

Eu dou um gritinho, chocada. Ele tapa minha boca com a mão. O terror cresce nas minhas entranhas.

Cada fibra do meu corpo me ordena: levante-se e corra. Uma sensação que percorre toda a minha pele e da qual não consigo me livrar.

Corra para longe. Corra rápido.

Corra. Corra.

CORRA.

Com a mão ainda sobre a minha boca, ele fala:

— *Não.*

Uma única palavra ameaçadora, mas dita com tanto ardor que me faz queimar.

Meu corpo se contorce querendo mais, o que quer que seja. Libertação ou derrota ou dor ou prazer.

Não consigo conter esse desejo nem consigo pensar direito, e meu clitóris está latejando.

— Por favor — falo, a palavra abafada pela mão dele.

Em um segundo, a pressão do seu corpo desaparece e fico perdida.

— Não vou fazer de você minha linda bonequinha sexual — ele diz e, então, vai embora, e eu respiro ofegante.

Fico deitada no tapete por muitos longos minutos, sem saber ao certo o que acabou de acontecer e se de fato sobrevivi.

Estou morta?

Parece que saltei de um penhasco, mas não caí no chão. Ainda estou caindo.

A chuva piora; finalmente respiro normalmente e ando de quatro no chão atrás do meu suéter. Visto-me e caio na cadeira abandonada por Vane, sentindo-me esgotada, mas insatisfeita.

Maldito.

Odeio Vane. Por isso quero ainda mais que ele ceda a mim. Só para eu me gabar. Mas talvez ele tenha razão — querer isso só faz de mim uma tarada por punição.

Oh, quão sinistra seria essa punição.

24
PETER PAN

QUANDO EMERJO DA TUMBA, ENCONTRO A DARLING NA biblioteca, aninhada em uma das cadeiras de couro, ao lado da enorme janela circular. Ela olha fixamente para o vidro enquanto a chuva o salpica, mas há um livro aberto em suas mãos.

O sol já se foi, mas é difícil diferenciar, pois o céu está pesado e escuro.

Ela é uma visão tentadora. Como um pássaro selvagem e exótico que quero capturar e engaiolar para que apenas eu ouça seu canto.

Quando Winnie percebe a minha presença, pisca e se ajeita na cadeira, desdobrando as pernas. Está vestida apenas com uma blusa grande, as pernas de fora. Seria tão fácil enfiar as mãos no meio de suas pernas, por baixo do suéter, e fazê-la se contorcer debaixo de mim.

Sou tomado pela lembrança do que fiz com ela ontem e meu pau deseja um repeteco. Não costumo ficar tão doido por uma boceta. Às vezes, eu transo só para sentir alguma coisa, mas há muito tempo não transo como ontem.

— Oi — diz ela.

Uma palavra tão simples, leve e casual. Uma palavra mortal.

Ninguém fala *oi* para mim. *Oi* é para amigos, e eu não tenho amigos. Apenas inimigos e aliados. E estes estão cada vez menos presentes.

— Oi.

Ela sorri para mim, a linda garotinha Darling. Quero jogá-la no chão e enfiar meu pau na sua boca. Observá-la engasgando nele.

Não sou um homem bom. E sou um rei ainda pior. Mas posso fingir, por enquanto.

— O que está lendo?

Ela fecha o livro e olha para a capa, como se apenas agora o percebesse ali.

— *Frankenstein.*

— Clássico.

— Acho que sim.

Está lendo um livro sobre monstros em um covil de monstros. Que poético.

— Preciso te preparar para hoje à noite — falo, e ela me olha com curiosidade. Não costumo avisar as Darling sobre o que as aguarda, mas, não sei por quê, para *ela* preciso avisar.

— Ok.

— Minha sombra... Foi uma Darling que a pegou.

Ela parece intrigada.

— Quem?

— Foi há muito tempo. Há várias gerações.

Não sei dizer o nome dela porque já esqueci. Há apenas um vazio sombrio onde ela existia, e tudo o que resta é a sensação dela.

— É possível herdar memórias dos seus ancestrais — explico. — Enterradas no sangue. Mas memórias são selvagens e tumultuadas na infância. Por isso... — Não completo a frase, suspirando.

— Por isso rapta as Darling aos dezoito anos — ela deduz.

— Sim.

— Como busca essas memórias?

— Fae são capazes de entrar em mentes, mas principalmente a rainha.

Ela lambe os lábios.

— Por isso todas enlouqueceram, né? — Seus olhos se enchem de lágrimas e eu luto contra a vontade de acalmá-la.

Seria mentira, de qualquer modo. Pois essa é a verdade. Depois que Tilly vem, no fim da noite, as Darling estão transformadas. Então, dou tempo ao tempo, espero a geração seguinte chegar à idade correta, espero o momento certo.

Mas agora... Não quero que esta Darling se transforme.

Geralmente, quando as capturo, elas gritam e esperneiam ou choram e tremem. Esta é um gato selvagem que quer derrubar o pires com leite na mesa só para observar a bagunça.

Gosto disso nela.

Corajosa essa Darlingzinha. Selvagem e inconsequente, sempre pronta para uma aventura depravada.

— Há alguma maneira de alcançar essas memórias sem arriscar a sanidade?

Recosto na cadeira.

— Não sei dizer. Não é minha área de especialidade.

— E qual é, então?

Boa pergunta. Acho que não tenho mais. Costumava ter muitas. Sabia voar, por exemplo. Podia olhar para além de mim, para a ilha e simplesmente saber coisas a respeito dela. Podia conjurar objetos do nada. Comida, animais, quinquilharias, tesouros. Se pensava, criava.

Há muito tempo não sou capaz de fazer nada disso.

As plantas não produzem mais tantas frutas, os coqueiros produzem menos cocos e o mar dá menos pesca. O clima está mais inconstante.

Reivindiquei a Sombra da Vida há muito tempo, e era minha responsabilidade cuidar dela. Sem ela, a ilha está morrendo. *Eu* estou morrendo.

— Não quero enlouquecer. — Winnie perde a voz quando seus olhos se enchem de lágrimas.

Ela consegue lidar cara a cara com o Sombrio, mas perder a sanidade é o que a assombra de verdade.

Talvez tenhamos mais em comum, essa Darling e eu.

— Vista-se — ordeno.

— Para quê? — Ela levanta a guarda de imediato.

— Vamos passear. Quero te mostrar uma coisa.

Ela me encara desconfiada.

— É seguro. Garanto.

— Tá bom. Dar uma caminhada seria uma boa.

Ela deixa o livro de lado e, quando se roça ao passar por mim, tenho que lutar contra a vontade de agarrá-la. Por isso não tocamos nas Darling. Depois da primeira vez, queremos sempre mais.

Winnie vai para o quarto e eu vou para o loft me servir de uma bebida.

Não estou tão cansado quanto ontem, mas minha bosta de cabeça está latejando.

Viro uma dose de uísque e acendo um cigarro, permitindo que a fumaça arda em meus pulmões.

Não sei onde está todo mundo e não tô nem aí.

Quando a Darling volta, está usando seu vestidinho e o suéter pende de seus ombros ossudos. Algo nessa visão mexe comigo, essa visão tão minúscula e frágil.

Não consigo respirar.

— Vamos lá? — ela fala.

Muitos caminhos levam da casa até a floresta. É ela que fica entre nós, o Porto Darlington e o território fae.

A chuva arrefeceu. Agora é uma bruma que cobre minha pele.

Guio a Darling pela trilha norte, rumo ao coração da floresta. Ela está silenciosa ao meu lado, mas é difícil não notar a sonoridade de sua presença.

— Onde arrumou essas cicatrizes? — pergunto-lhe. — Ela respira fundo e não tira os olhos do caminho. — Darling.

— Azar de ter nascido Darling, suponho. — Ela tenta sorrir, mas é forçado.

— Quem fez isso?

Só de pensar em alguém cortando sua pele, fico furioso. Mas não deveria me importar. Não me importo.

Se importa, sim.

— Pessoas que minha mãe contratou. — Ela pega uma flor vermelha e começa a arrancar as pétalas, deixando uma trilha de brasas atrás de nós. — Estava tentando me proteger.

— Jeito esquisito de proteger alguém.

Darling esfrega uma pétala entre os dedos, depois cheira, inalando o odor forte de flor que saiu dos óleos da planta.

— Culpa sua — diz ela, em um tom de acusação. — Se não sequestrasse as Darling, eu poderia ter tido uma vida normal.

A culpa me atinge. Mas eu sou justo. Devolvo apenas aquilo que recebo.

— Se uma Darling não tivesse roubado minha sombra, eu não teria que raptar as Darling.

Winnie franze o cenho.

— Pode ser. — Ela joga o cabo despetalado no chão. — Como ela te roubou, afinal? Minha ancestral.

Só de pensar, eu me irrito.

— Um golpe — digo e não dou mais detalhes.

— De quem?

Não vou tirar esses esqueletos do armário.

Por sorte, não preciso. Chegamos ao destino.

— Olha. — Tiro as plantas da frente para revelar o Lago Nunca.

A Darling para, boquiaberta e com os olhos arregalados.

— Uau!

Areia branca rodeia o lago e a água é turquesa, mesmo sob o céu nublado.

Fica ao lado da Rocha Corsária, de modo que é quase todo escondido, aninhando entre a rocha e a floresta.

A chuva não deixou de respingar nas folhas.

— Chega mais perto — chamo e pego sua mão. Winnie suspira ao meu toque.

Meu peito se aperta.

Vamos até a beirada da água.

— Olhe para baixo — indico.

O lago não é muito profundo, mas é cheio de magia. Ou pelo menos já foi, um dia. Então, quando se olha para baixo, é como olhar por um portal. E, nessa mistura de água e magia, criaturas brilhantes nadam, como numa dança em câmera lenta.

De vez em quando, um rosto vem até a superfície, com os olhos brilhantes.

— Caramba. — A Darling se afasta. Eu a amparo antes que se desequilibre e caia.

Não consigo evitar a risada. Seu espanto me pega de surpresa.

— O que são? Parecem sereias ou fantasmas.

— Um pouquinho dos dois.

Tinker Bell me contou que o lago é um portal para o além, que as criaturas nadando ali são almas encarceradas.

Pego uma pedra e a faço saltitar pela superfície da água. Espirais de luz a encontram.

— Isto é… incrível — a Darling fala.

— Sua mãe falou a mesma coisa.

Ela franze o cenho.

— Você trouxe minha mãe aqui?

— Ela não… estava bem — admito. — Às vezes, o lago pode ser curativo. Pensei que a ajudaria.

A menina me olha como se não me reconhecesse.

— Tentou ajudá-la? — A expressão de Winnie se suaviza e ela dá um passo em minha direção.

Eu me viro.

— Ela chorou a noite toda. Precisava calar a boca dela.

Mentira. Mais ou menos. Merry chorou, sim, mas por outro motivo.

E quando ela me contou…

Pego outra pedra da areia, mas, desta vez, quando a jogo, passa reto da superfície e atinge a Rocha Corsária com um barulhão.

— E adiantou? O lago ajudou?

A chuva aumenta e, quando me viro para a Darling, ela está tremendo de frio.

Algo se revira em meu peito. Tiro minha camisa num movimento único e vou até ela.

— Levanta os braços, Darling — eu mando e ela obedece. Não é uma camisa grossa, mas é o que temos agora.

— Me conta. — Ela me olha. A bruma prende-se aos seus cílios, e gotas escorrem até a ponta do nariz. — Por favor.

Suspiro.

— Acho que sim, por algum tempo ao menos.

Ela assente.

— Obrigada.

— Não me agradeça. Era tudo culpa minha. Lembra?

A Darling franze o cenho, seu olhar em busca de algo que não devo possuir, mas desejo desesperadamente poder lhe dar.

— Vem. Tilly vai chegar logo. Melhor voltarmos.

Winnie precisa de calor, roupas secas. É disso que ela precisa.

É o mínimo que posso lhe dar antes que a rainha fae entre em sua mente.

A camisa de Peter Pan tem o cheiro dele. De florestas selvagens e noites embriagadas.

Puxo-a para perto do meu corpo, para não afugentar o calor, enquanto o sigo pela mata.

Quando a casa aparece, paro por um segundo. É a primeira vez que realmente vejo a casa de frente. É gigante, abraçada pela floresta tropical. Flores coloridas pontilham as árvores ao redor e diversas palmeiras se erguem para o alto. Todas as janelas estão acesas, fornecendo uma luz dourada para a noite que se aprofunda.

Minha mãe disse que havia magia na ilha. As ilusões que os gêmeos geram certamente são mágicas, mas agora sei do que ela realmente falava. A lagoa, as almas nadando ali, como sereias, e a casa cintilando vitalidade.

Amo este lugar, embora pareça um exagero, já que acabei de chegar.

Algo aqui soa familiar, parece um retorno ao lar depois de uma longa viagem. Um lugar para suspirar em contentamento.

Nunca tive isso. Nunca em toda minha vida.

Sigo Pan pelos degraus até a varanda e, depois, para dentro do loft. A árvore gigante no meio da casa está cheia de pequeninos vaga-lumes.

— Finalmente apareceu — diz Vane. — Onde você estava, porra?

Pan resmunga:

— Saí.

Vane me observa com o olho violeta. Não sei dizer o que ele está pensando e geralmente sou boa em interpretar as pessoas. Talvez por isso ele seja tão frustrante. Não consigo ir além de seus muros e ver por dentro.

Ele é um enigma, e eu quero encontrar a solução.

Os gêmeos entram.

— Tilly está a caminho.

Peter Pan estala os dedos para Vane.

— Traga o resto dos Garotos Perdidos para dentro e mantenha-os longe de vista. Bash e Kas, ajudem a Darling a se preparar e vestir roupas secas.

Meu coração bate na boca e o sangue corre para a minha cabeça, latejando nas orelhas. É isto. É assim que acontece.

Não quero ficar louca.

— Darling? — Kas para na minha frente. Seus cabelos estão novamente presos em um coque. Há preocupação em seus olhos cor de âmbar.

— Não quero fazer isto.

Ele franze o cenho.

— O rei consegue tudo o que quer.

Engulo em seco.

— Por favor, Kas.

Ele me abraça e me guia para o quarto. Estou trêmula e inerte. É assim que acontece. É assim que começa.

— Por que ela precisa entrar na minha mente? Não posso ser hipnotizada ou algo do tipo? Você não acha que se alguma de nós soubesse, já não teríamos lembrado a essa altura? Por favor, Kas. — Aperto a mão dele.

— Não tenho como impedir, Win — ele fala e inclina a cabeça. — Nem você.

Bash entra no quarto.

— Escute, Darling. Uma brisa pode te derrubar, mas, aqui — ele bagunça meu cabelo —, você é mais forte do que imagina. E vai permitir que nossa querida irmã entre em sua mente e vai nos ajudar a encontrar a sombra de Peter Pan. Ok? Eu acredito nisso. Acredito que você é diferente de todas as Darling que vieram antes.

Engulo em seco, tentando desfazer o nó na garganta.

— Acha mesmo?

— Sim. — Ele sorri para mim. — Até pudemos transar com você.

Kas bate na cabeça do irmão, e Bash devolve o golpe no gêmeo.

Quero ajudar Pan. Quero ser a Darling que vai devolver sua sombra. Mas não quero perder a cabeça no caminho.

Eu suportei. Suportei a náusea das ditas poções mágicas, que só me faziam vomitar por dias. Suportei lâminas na minha pele, ter meu sangue coletado para pintar o teto. Eu suportei e vou suportar agora.

Vou dar um fim nessa maldição, por todas nós.

— Ok. — Falo que sim e tiro a camisa de Peter Pan. — Eu consigo.

— É isso aí — Kas fala. — Vou ver se Cherry tem alguma roupa limpa.

Quando Kas se retira, Bash pega minha mão. Ele traceja o bracelete no meu punho e o gira.

— Isto não é um bracelete comum.

— Eu sei. É um beijo.

— Sim, mas tem mais. — Ele sorri para mim, a voz áspera e grave ao continuar: — Está cheio de magia. Vai te proteger. Não há nada a temer.

Eu sei que ele tem magia. Talvez seja verdade.

Aceno com cabeça.

Diferente da minha mãe, da mãe dela e da mãe da mãe dela, posso sair intacta dessa.

Vai ficar tudo bem.

Cherry me empresta um vestido limpo, mas fica grande, então toda hora estou me ajeitando para não ficar com as costas à mostra.

— Darling — Pan me chama.

Vou até o loft, onde ele, os gêmeos e Vane me aguardam. O resto da casa está em silêncio.

— Pronta? — Pan quer saber.

— Acho que sim.

Ouço o som inconfundível de cascos de cavalo nas pedras. Bash vai até a janela.

— Ela chegou.

Embora eu saiba que serei submetida à tortura mental, sinto a energia dos gêmeos se alterando. Estão nervosos por ver a irmã.

Enquanto esperamos que subam, tento não me remexer, mas não consigo. Também estou com os nervos em frangalhos.

A irmã deles é uma rainha. Uma fae.

Estou animada para conhecê-la por causa disso, mas com medo do que ela veio fazer.

Conforme ela sobe as escadas, prendo a respiração. E, quando enfim aparece, não consigo evitar ficar boquiaberta.

É como uma fada de um conto de fadas.

E tem asas. Asas enormes que parecem feitas de gaze e se arqueiam e farfalham lentamente sob a luz das lanternas. E, dependendo do ângulo que a luz toca, reluzem como dentro de uma concha de madrepérola.

Os cabelos escuros estão trançados em várias tranças que se intermeiam com uma delicada coroa dourada, na qual uma única pedra reluz no centro.

Ela tem as bochechas altas e bem definidas dos gêmeos, e o nariz reto. Mas o rosto tem formato de coração, enquanto o deles é mais quadrado.

Tilly me olha, e noto que sua íris é da mesma cor brilhante e mutante das asas.

Magnífica.

É mais mítica do que o próprio Peter Pan.

Pisco inúmeras vezes, como se para checar que não se trata de uma miragem.

— Tilly. — Peter Pan se aproxima dela. — Bom ver você.

A fada sorri para ele, mas um pouco da luz de seus olhos se apaga, e é quando noto que algo entre eles não vai bem.

Peter Pan sabe?

Ela estica a mão com os dedos levemente dobrados. Ele a pega e beija os dedos.

Tilly fica feliz. Como se ser beijada fosse uma mostra de dominância e ela gostasse de ser dominadora.

Bem, Peter Pan está à sua mercê. Ela é a única que pode entrar na minha mente.

Então, Tilly se vira para os gêmeos ao meu lado e todo o prazer escorre de sua face.

Sua expressão fica fria e distante.

— Irmãos.

— Querida irmã — cumprimenta Bash.

— É bom ver você, Tilly — fala Kas.

Ela não responde, e posso notar que essa conversa curta deixa os gêmeos sedentos por mais.

— Esta é a Darling? — Ela me lança um olhar.

É difícil não baixar o olhar como uma covarde.

— Olá.

— Esses garotos selvagens foram bons anfitriões?

Vane bufa. Tento ignorá-lo.

— Sim. Foram gentis.

Exceto quando me chamam de puta e me comem em cima da mesa. Prefiro aquilo a isto, sem a menor dúvida.

Na verdade, prefiro aquilo a muitas outras coisas. Quase tudo. Quero voltar para aquele momento, quando o único objetivo era o meu prazer.

— Venha, sente-se. — Ela indica uma das cadeiras, e eu, relutantemente, vou até lá.

Dobro as mãos sobre o colo para esconder meus dedos trêmulos. Minha pele está suada e meus joelhos, bambos.

— Não vai demorar — ela fala atrás de mim, e uma sensação apavorante sobe pelos meus ombros.

Meu coração está acelerado e sinto um nó no estômago. Acho que, se me derem um balde, eu vomito.

Tilly tenta tocar minha cabeça, e eu recuo.

— Está tudo bem. Só vou colocar a mão aqui. — Os dedos dela se afundam entre meus fios de cabelo e pressionam minha cabeça. — Preparada?

Meu Deus, não. Nem um pouco.

E se não houver qualquer lembrança da sombra roubada? E se tudo isso for para nada e todas as mulheres Darling tiveram seu cérebro revirado a troco de nada?

— Vamos começar — ela fala, e uma dor lancinante perfura meu crânio.

26

BASH

Minha irmã mal nos olha. Somos realeza e, no entanto, ela nos trata como servos das colheitas.

Tudo o que Kas e eu fizemos foi por ela.

Kas quer ser perdoado, mas eu começo a desejar vingança.

Os dedos cheios de joias de nossa irmã afundam nos fios de cabelo de Winnie. Uma sensação de urgência sobe à minha garganta.

Já vi esta cena muitas vezes. Sei como termina.

— Vamos começar — nossa irmã anuncia.

Uma forte luz branca surge sob sua mão e o rosto de Winnie se contorce de dor.

Do meu lado, Kas está inquieto, como se resistisse à vontade de pular e nocautear nossa irmã.

Winnie grita.

Pan cerra a mandíbula.

A luz aumenta conforme nossa irmã cava e se entranha na mente da Darling.

Depois de todos esses anos, ela nem sequer sabe o que busca? Será que se importa o suficiente para fazer o serviço direito?

À custa da nossa pequena Darling.

Tilly se concentra, os dedos em forma de garras enquanto aumenta seu poder.

Kas e eu já a presenciamos transformar o cérebro de um homem em purê porque ele a insultou diante da corte. Ela colocou a mão na cabeça dele e, dez segundos depois, o cérebro do homem escorria pelo nariz.

Não devia me importar com o que acontece a Winnie, mas minha consciência pesada está dificultando.

Não quero que ela fique como as outras — distante e atordoada. Como a mãe dela. Fizemos uma promessa a Merry e não cumprimos.

Por um instante considero interromper Tilly, fodam-se as consequências.

Quase faço. Mas alguém é mais rápido.

Não é meu irmão. Nem Pan.

Vane.

A Sombra da Morte intercede.

27
WINNIE

A DOR PIORA. É AINDA MAIS FORTE DO QUE A DOR CONSTANTE com a qual convivi minha vida toda. Pior que as lâminas que marcaram magia falsa na minha pele.

A dor se espalhou por toda parte. Tilly parece tocar minha alma com garras e fogo. Parece rasgar o tecido do qual sou feita.

Não consigo me mover de tanta dor. Há apenas luz forte e dor aguda.

Tento aguentar ao máximo.

Eu consigo, tento falar para mim mesma.

Eu suportei.

Mas não posso. Não consigo.

Quero que pare.

Quero fluir para longe como um rio e desaparecer no horizonte. Deixar tudo para trás.

Peter Pan precisa de você.

Os Garotos Perdidos precisam de você.

A ilha precisa de você.

Nada disso é meu, mas parece meu dever salvá-los.

Suportar. Suportar. Só mais um pouquinho.

Não tenho certeza, mas acho que começo a tremer sob as mãos de Tilly. Não sinto minhas pernas, e as mãos agarram o braço da cadeira.

Aguente. Suporte.

Esses moleques brutais e malévolos me usaram da pior maneira, mas, naquele momento, eu, enfim, me senti livre. Eu me senti viva.

Há algo em Peter Pan e nos Garotos Perdidos que é liberador.

Eu consigo.

E, neste momento, quando uma parte longínqua de mim cede, quando decido suportar por eles, tudo parece se encaixar.

Então, a luz se apaga, a dor diminui e eu caio nos braços de Vane.

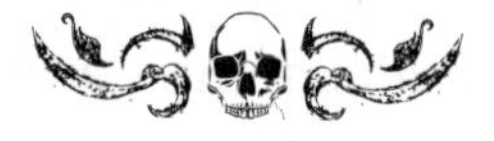

— Chega — ele diz. Sua voz é um trovão distante que paira acima de mim. Tenho a sensação distinta de ser alçada aos ares, aninhada ao seu peito sólido.

— Vane. — A voz de Pan soa autoritária.

— Não. Chega dessa merda. — Vane segue na direção da saída.

— Eu não terminei — Tilly chama.

— Eu disse chega. — Ele continua andando, passos pesados no chão de madeira.

— Aonde vão? — Em seguida: — Vane, caramba.

Uma porta se abre e depois bate. Uma tranca se fecha.

— Vane!

— Darling? — A voz de Vane está rouca. — Está acordada?

Minha voz sai grossa e embaralhada:

— Acho que sim.

Ele me deita numa cama. O quarto está escuro e aquecido, e tem seu cheiro — noites escuras de verão e âmbar moído.

Ele começa a se afastar, mas eu agarro sua camisa.

— Não vá.

Por um segundo, parece que ele vai embora mesmo assim. Afinal, acho que me odeia, o que não explica por que estou na sua cama, por que ele desafiou Peter Pan.

— Vai pro lado. — Obedeço e meu corpo todo dói.

A cama afunda sob seu peso e, então, ele me abraça.

Com a orelha contra seu peito, ouço o barulho ritmado de seu coração.

Nunca me senti tão segura, e não sei o que pensar. Quero chorar.

— Por que você fez aquilo? — pergunto com a voz embargada.

— Para de falar e descansa.

— Por quê, Vane?

Ele me envolve ainda mais, os dedos firmes sobre minha cintura.

— Porque eu quis, porque eu podia.

— Isso não é resposta.

Ele suspira.

— De onde eu venho, menininhas como você são destruídas todos os dias pelo simples motivo de quererem vê-las sofrer. E eu cansei dessa merda.

Sua respiração é quente contra meu crânio dolorido.

— Sou mais forte do que você pensa — digo.

— Mesmo o poderoso carvalho se acha forte, até vir um homem com um machado e derrubá-lo.

— Você é o homem? Tem um machado?

— Todos os homens nascem com um machado em mãos, Darling. Para saber a honra de um homem, apenas preste atenção a como ele maneja esse machado. — Suspiro contra ele. — Agora, descanse. — Sua mão sobe até minha testa e um calor se espalha sob o toque.

Em poucos segundos, apago.

28

WINNIE

Estou num quarto que não reconheço, mas a mulher à minha frente parece familiar. Seus cabelos volumosos e avermelhados estão presos com uma presilha em rabo de cavalo.

O baú da minha tataravó Wendy está diante de nós, e a mulher também tem uma pequena caixa nas mãos.

— Quem é você? — pergunto, mas ela não parece me ouvir, e minha voz flutua pelo quarto como se eu estivesse debaixo d'água.

Ela se abaixa e abre o baú. Está forrado como sempre: papel cor de creme estampado com florezinhas laranjas.

Deixando a caixinha de lado, ela bate na lateral do baú e uma gaveta se abre, um compartimento secreto.

— Eu não sabia que isso existia.

Ela então pega a caixinha e coloca nessa gaveta, que fecha em seguida.

Quando se levanta, bate a mão uma na outra, satisfeita.

— Ele jamais vai recuperá-la — surge uma voz atrás de nós.

Viramos juntas, e a silhueta sai das sombras. Uma mulher com asas e olhos afiados. Se o fato de ter asas já não fosse chocante, a aura de luz ao seu redor seria. É como se ela fosse uma estrela.

Parece Tilly, mas diferente.

A mulher de cabelos avermelhados fica parada, olhos vítreos e distantes. Ela me lembra minha mãe.

A mulher alada se aproxima e coloca a mão na cabeça da outra. A luz pulsa pelo quarto, cegando-me, e eu me viro.

Nisso, vejo o rosto de uma criança espiando de dentro do armário.

Quando a luz arrefece, olho outra vez, e a mulher de cabelos avermelhados está no chão, paralisada, com os olhos abertos, sem piscar. Sem respirar.

Antes que a mulher alada vá embora, ela acrescenta, entredentes:

— E ele certamente nunca terá sua Darling de volta.

Acordo num susto.

A cama está vazia. Fico desorientada por um segundo antes de me lembrar onde estou.

— Vane? — chamo.

Sem resposta.

Jogo os lençóis de lado e saio do quarto escuro. A luz do dia brilha lá fora. Kas e Bash estão no bar com Vane.

— Darling. — Kas se levanta e vai ao meu encontro. — Como está se sentindo?

— Cadê ele?

— Ele quem?

— Peter Pan.

— Está de dia — Vane fala, meio entediado. — Está na tumba.

— Onde?

— Embaixo da torre.

— Onde?

Eles apenas me encaram.

— Tá bom. Eu acho sozinha.

Dou-lhes as costas e volto pelo mesmo caminho. Do lado de fora da casa, só há uma torre, no lado norte. Vou até lá e encontro a porta com facilidade.

— Você não vai longe. — Vane surge atrás de mim.

Ignoro. Abro a porta e espio dentro da torre escura. Meus passos ecoam naquele vasto espaço sombrio.

— Você precisa da chave para entrar na tumba — Vane avisa.

— Então me dá a chave.

— Por quê? — Ele está bem atrás de mim.

— Preciso fazer uma pergunta.

— O quê?

— Venha comigo e descubra.

— Se acordá-lo ainda de dia, bem provável que ele irá te matar.

Cruzo os braços firmemente e espero.

A curiosidade vence. Ele desce na frente. Eu vou atrás, apoiada no corrimão de metal.

Poucos pontos de luz me impedem de cair na escadaria em caracol. Quando chegamos ao final, sinto calafrio. Estamos muito abaixo da terra.

Vane destranca a porta e revela um anexo vazio, seguido de outra porta.

— Você primeiro — ele diz.

Viro a maçaneta da segunda porta.

É uma tumba mesmo. Escuridão total.

Tateio à minha volta.

— Cadê o interruptor?

Vane resmunga e passa ao meu lado. Um segundo depois, uma lâmpada pisca e luz dourada se esparrama pelo cômodo.

Há uma enorme cama com dossel no centro, um gaveteiro, uma poltrona e pilhas e pilhas do que parecem ser diários com capa de couro.

A cama está vazia.

— Cadê...

— Que é?

A voz serpenteia das sombras. Ele é apenas uma forma no canto escuro. Lembro-me da primeira vez que o vi na nossa velha casa vitoriana, quando eu ainda temia o que ele representava.

Não tenho mais medo.

Paro bem à sua frente.

— Quem tinha pele brilhante e asas, e era a cara da Tilly?

Seu rosto fica sombrio.

— Por quê? — Ele está quase rosnando.

— Me responde.

— Tink — Vane responde. — Era Tinker Bell.

Olho para ele por cima do meu ombro.

— O que aconteceu com ela?

— Eu a matei — diz Pan. Ele suspira e coça os olhos. — O que você quer, hein? Estou muito cansado, Darling.

— É sobre sua sombra.

Isso chama sua atenção.

Pan se senta na beirada da cama, como se ficar de pé fosse exaustivo. Está sem camisa e veste calças largas de pijama. É a primeira vez que o vejo sem roupas, a primeira vez em que dou uma boa olhada nas tatuagens entre as cicatrizes.

É coberto delas.

— Pode ter sido uma Darling que pegou minha sombra, mas foi Tinker Bell que planejou tudo, com ajuda de um dos Garotos Perdidos. Tootles.

— Tootles. — Que nome estranho. — Por que Tinker Bell faria isso?

— Porque ela estava apaixonada por Peter — responde Vane.

— Isso não faz sentido. Se ela o amasse…

— Ela pode ter me amado — diz ele —, mas odiava as Darling ainda mais.

— E?

— E… eu amava uma Darling. Eu me apaixonei pela Darling original.

Fico com falta de ar e caio na cama ao lado de Pan.

Quando decidi descer até aqui, não esperava que esta seria a resposta que encontraria. Mas agora tudo faz sentido.

No sonho, Tinker Bell falou: "E ele certamente nunca terá sua Darling de volta".

— Ela matou a primeira Darling... — digo e Peter Pan suspira ao meu lado. — E então você matou Tinker Bell.

— Eu não estava pensando direito — admite ele. — Às vezes, ajo antes de pensar. Com Tink e a Darling mortas, ficou bem mais difícil encontrar a sombra. Mas lembranças podem ser herdadas pelo sangue, e a Darling original tinha uma irmãzinha. Era improvável, mas eu torcia que algum tipo de conhecimento tivesse sido passado para sua linhagem.

A menininha no armário. Era a irmã.

— Por isso você nos rapta, tentando encontrar algum traço de informação sobre sua sombra. — Ele assente. — Acho que sei onde ela está.

Peter me olha, o cabelo bagunçado pelo sono, mas os olhos arregalados de expectativa.

— Me fala.

— No baú da minha tataravó, a Wendy.

29

PETER PAN

MAIS UMA VIAGEM PARA O MUNDO DELA. EU CONSIGO. Preciso conseguir.

A espera pelo pôr do sol parece uma eternidade. Peço à Darling que me deixe a sós com minha ansiedade.

Uma sensação de urgência desesperada faz minha cabeça latejar.

Enquanto espero pelo pôr do sol, espalho facas pelo meu corpo.

Quando a luz enfim baixa, corro escadaria acima.

Todos estão prontos.

— Todos vão vir? — pergunto.

— Claro que sim — responde Bash. — Acha que vamos deixar todas as aventuras só para você?

A Darling entre os gêmeos fica parecendo uma bonequinha. Tudo nela parece frágil e quebradiço, mas é o contrário.

Lembra tanto sua mãe.

— Então, como chegamos lá? — a Darling quer saber.

— A melhor maneira é voando — respondo.

Ela só me encara por longos segundos.

— E você voa?

— Não mais — admito.

— E nós perdemos as asas — fala Kas.

— Vane? — Ela se vira para ele.

— Eu consigo, mas não carregando toda essa gentarada.

— Vamos por outro caminho — falo.

— E qual é? — ela pergunta.

— Saltamos da Rocha Corsária.

— Vocês estão de brincadeira. — Winnie coloca as mãos na cintura. — Por favor, diz que é brincadeira.

Os gêmeos respondem:

— Nunca brincamos quando se trata de saltar de penhascos.

— Eu não quero saltar de um penhasco.

— Azar o seu — falo e a conduzo para fora.

Enquanto seguimos pela floresta, lobos uivam a distância e escutamos um rosnado na escuridão.

Mantemos a Darling entre nós, em segurança.

Os lobos costumavam se curvar para mim, mas não mais.

Passamos o lago e continuamos a caminhada pela encosta do morro acima.

A lua está pesada no céu.

Pensava que hoje convidaríamos Tilly novamente para entrar na mente da Darling.

Que bom que não. Que bom que a Darling está bem.

A grama que nasce entre as frestas da rocha está coberta de orvalho. A noite está fria e a Darling treme. Mergulhar no oceano não vai ajudar nisso, muito menos atravessar mundos.

Vamos com cuidado pela beirada. O vento oceânico nos corta. O cabelo da Darling esvoaça ao redor dela.

— É bem mais alto do que parece lá de baixo. — Ela se abraça e não se aproxima da beirada. — Acho que não consigo. Foi assim que me trouxe para cá?

— Sim.

Ela morde o lábio inferior.

— Pense que, quando chegarmos lá, poderá ficar. Nunca mais precisará voltar.

A expressão dela se desanima. Sinto um nó nas entranhas.

É isso o que eu quero?

É isso o que ela quer?

Mal a conheço, mas ela me parece familiar.

A ideia de esquecê-la... Faz meu peito queimar.

— Vem. — Ofereço a mão. No mínimo, posso prometer ficar ao seu lado. Ela pega minha mão. Seus dedos estão gelados.

— Então, é só pular?

— Sim. — Aceno para se aproximar da beirada.

— Tem pedra lá embaixo?

— Sim, por isso temos que dar um salto grande.

— E depois? — Ela franze o cenho e linhas de preocupação surgem entre suas sobrancelhas. — Nadamos? Mergulhamos?

— A magia vai cuidar do resto.

Ela bufa, debochada.

— É só acreditar — Kas fala e pula.

— Oh, meu Deus — ela soluça. — Não consigo.

— Mas precisa.

— Por quê?

Bash pula em seguida. O vento muda de direção e o cabelo dela esvoaça para a frente do seu rosto. Eu me inclino e o ajeito atrás da orelha.

— Está tudo bem. Estou aqui.

Juro que ouço o coração dela martelando acima das ondas quebrando.

— Tá bom.

— Boa menina.

Vamos juntos para a beirada. Ela aperta cada vez mais minha mão.

— Pronta?

— Acho que sim.

— Um.

Ela treme ao meu lado.

— Dois.

O peito dela sobe e desce com respirações aceleradas.

Não chego ao três e saltamos juntos.

Essa é minha única maneira de voar hoje em dia, e essa porra é alucinante. Mas, se a Darling tiver razão, a essa altura, amanhã, estarei voando entre as estrelas.

30

WINNIE

Quando busco o ar, estou gritando.

Nenhuma onda. Nem vento. Mas estamos na água. Rasa e nojenta, e demoro a reconhecer o Lago Emerald no parque perto da nossa antiga casa vitoriana.

Estou em casa.

Estou em casa.

Então, por que a sensação ruim?

Saímos da água — Peter Pan, os Garotos Perdidos e eu.

Está escuro também, e grilos e pererecas fazem uma algazarra.

— Por aqui — digo e os conduzo até a calçada.

Andamos em silêncio, ensopados e concentrados. Leva menos de dez minutos. Ver minha casa na companhia de Pan e dos garotos torna um deles ou ambos irreais. Como se não devessem existir no mesmo espaço.

Andamos pela calçada rachada. A porta está destrancada. Minha mãe não costuma deixá-la assim. Sempre se lembra de trancar.

Quando abro, as dobradiças rangem. A casa está escura e quieta, exceto por seus costumeiros rangidos.

— Mãe? — chamo.

Sem resposta.

Vamos pelo corredor; os meninos atrás de mim.

O baú da minha tataravó está na sala, debaixo da janela.

Mas, quando chegamos à porta da sala, encontramos minha mãe com um homem ainda mais baixo que eu, acompanhados de outros como ele. Seus cabelos são pretos e armados, os olhos são apartados e as orelhas são pontudas.

— Brownie — Pan rosna.

— Pan — cumprimenta o homenzinho.

— Por que está aqui? — Pan quer saber, com uma voz desconfiada.

Brownie dá um passo à frente.

— Tinker Bell não queria que você fosse rei e eu dediquei minha vida a ela.

— Mas como você sabia que estava aqui? — Pan dá outro passo.

Vane e os gêmeos também avançam, flanqueando Pan.

— Sempre soube que estava aqui — é a resposta de Brownie. — Honestamente, achei que você estaria morto a essa altura. Todos achamos.

Os outros concordam. São sete no total.

— E o que planeja fazer depois que reivindicar minha sombra? Poucos podem contê-la.

— Os gêmeos podem — diz Brownie.

Pan fica rígido.

— O que Tilly tem a dizer a respeito?

— Ela quer o melhor para a ilha. — Brownie pousa a mão sobre a empunhadura de uma espada embainhada em seu quadril. — Você foi um rei maléfico. Acha que gostaríamos de voltar àquilo?

Observo a reação de Pan. Sei como ele pode ser maligno. Vi quando matou aquele Garoto Perdido apenas por ter flertado comigo. Mas quão maligno ele realmente é?

Não tenho medo dele, mas talvez devesse ter.

Talvez saltar do penhasco foi meu ato menos corajoso nos últimos dias.

— Não vou deixar você me impedir — diz Pan.

— E eu não vou deixar você sair daqui com sua sombra — diz Brownie.

Há um momento de silêncio antes de a briga irromper.

Mamãe está encolhida entre o canto da sala e o baú, abraçando os joelhos. Corro até ela enquanto as espadas colidem.

— Mãe? Está tudo bem?

— Winnie? Oh, Winnie! — Ela abre os braços e me abraça. — Que bom que voltou.

— Você está bem?

— Sim, estou bem. Estou bem.

Olho para trás e vejo Vane segurando a cabeça de um Brownie. Ele a gira violentamente, e o pescoço da criatura quebra.

Meu estômago se revira.

— Mãe, você conhece um compartimento secreto no baú da bisa?

— Não. Por quê?

Abro o baú. Tem cheiro de outro século e a madeira agora está quebradiça, soltando lascas. Costumávamos guardar roupa de cama e um álbum de fotografias quase vazio.

Alguém grita atrás de nós, e não acho que seja um dos meninos.

Jogo para fora os cobertores e os lençóis e passo a mão pelo interior do baú. Como a Darling do meu sonho fez?

Começo a bater na parte de dentro. Não acontece nada.

— Qual é?

Acho que é na parte esquerda. Bato com as juntas dos dedos. Uma, duas vezes. Nada.

Talvez precise de mais força. A Darling do meu sonho parece ter dado uma pancada.

Tento outra vez e...

Uma gaveta se abre.

Aninhada ali, envelhecida pelas décadas de espera, uma caixa.

Eu odeio Brownies, porra.

Na ilha, eles não costumam aparecer muito, preferem ficar nas sombras a serem vistos à luz. Essa parte eu entendo. Mas este Brownie... ele existe há tanto tempo quanto eu, serviu à corte fae e está atrás da minha cabeça desde que matei Tinker Bell.

Talvez eu mereça.

Ele é mais rápido. Pulando em volta de mim, fazendo cortes profundos no meu corpo com sua adaga cheia de pedras preciosas.

Uma das minhas lâminas está prestes a estripá-lo. Ele não vai ficar no caminho entre minha sombra, meu trono e mim.

Os outros Garotos Perdidos dão um jeito nos demais Brownies, até que só reste um.

Sangue impregna o ar. Sinto o gosto na ponta da língua.

— Está cercado, Brownie — Vane avisa enquanto os três o rodeiam. Vane mal controla a sua sombra. Sinto-a arrepiada sob a superfície, desesperada para sair. — Melhor se render.

— Não me rendo — responde o Brownie. — Meus príncipes — acrescenta ele, voltado para os gêmeos —, se estiverem em busca de um caminho de volta à corte, juntem-se a mim agora. A sombra pode ser de vocês.

Kas e Bash param e se encaram. Ouço os sininhos.

Já falei a língua deles, mas esqueci o formato das palavras, o retinir das sílabas.

Se eles virarem a casaca agora... Caralho...

Bash embainha a espada.

— Tem algo que nunca entendemos, Brownie. Talvez possa nos ajudar.

Brownie assente.

— O que desejarem saber.

— As Darling sempre se transformaram depois que nossa querida irmã entra na mente delas. Ela sempre disse a Pan que é um efeito adverso da magia, que, quanto mais a Darling resistir, pior.

— Sim, isso é verdade.

— Mas Merry não resistiu. Antes de Tilly chegar, ela nos contou que faria o possível para ajudar Pan.

Na sombra, Darling olha para a mãe com compreensão.

— Fizemos uma promessa a Merry de que, se ela nos ajudasse, ficaria bem. Mas ela não ficou.

Merry chora soluçando e Winnie aperta a mão da mãe contra o peito.

— Então, conte-nos — Kas fala e dá outro passo —, Tilly ajudava mesmo Pan ou escondia a sombra dele, destruindo as memórias das Darling para que ninguém mais soubesse onde a sombra estava?

Rilho os dentes, apertando a espada à espera da resposta.

— Isso é verdade, Brownie? — pergunto.

O homenzinho gagueja, tentando ficar na frente dos gêmeos de novo, mas, quando Kas o distrai, Bash fica atrás dele.

— Ele matou Tinker Bell!

— Nossa mãe não era uma mulher virtuosa — Bash fala.
— Nenhum de nós somos.

Ele avança na direção de Brownie, que desvia para o lado.

Então, eu ataco com minha espada, enfiando-a profundamente em seu peito. Seus lábios enchem-se de sangue.

Em um último suspiro úmido, ele diz:

— Você não é rei. É um covarde.

Seu rosto fica pálido e a vida some de seus olhos. Eu arranco a lâmina. Ele cai ao chão com um baque pesado. Estamos rodeados de corpos; eu estou coberto de sangue.

Mal consigo controlar a euforia.

Winnie afasta-se da mãe. Traz uma caixa nas mãos.

Minha sombra.

Procurei-a por tanto tempo que quase não quero acreditar que isto é real.

— É ela? — pergunto.

Winnie aproxima-se. A caixa está gravada com runas fae. Juro que ainda sinto o cheiro de Tinker Bell nela. Folhas de outono e pó de fada.

Ela foi minha melhor amiga. Até não ser mais.

E novamente fico destroçado ao me lembrar de como terminou.

Quando descobri o que ela tinha feito, que tinha planejado o roubo da minha sombra como vingança, fui até ela e falei: *Não acredito em fadas.*

Sua luz piscou até apagar, os olhos ficaram brancos e, em alguns segundos, ela estava morta.

Simples assim.

Nem precisei sujar as mãos.

Brownie tinha razão num ponto: eu fui um covarde.

Gostaria de, ao menos, ter dado a Tinker Bell a chance de lutar. Mas acho que temia jamais me esquecer da sensação do seu sangue em minhas mãos.

— Devo abri-la? — Darling pergunta, chamando-me de volta ao presente.

— Ainda não. Só na Terra do Nunca. Bash e Kas, limpem esta bagunça.

Bash suspira dramaticamente.

— Abrimos mão de nossas asas por sua causa e você nos faz lavar tripa de Brownie?

— Vamos devolver suas asas. Mas, primeiro, precisam me obedecer.

Bash resmunga e depois:

— Darling, cadê suas pás?

— Ummm...

Merry treme como uma folha, mas responde:

— Pás. Duas pás. No barracão. Me sigam.

— Muito bem, Merry — fala Kas. — Mostre o caminho.

Vane pega um Brownie, joga o corpo por cima do ombro e segue o grupo pela porta dos fundos.

Ficamos apenas a Darling e eu.

— Está em casa agora — falo. — Obrigado por me ajudar. — Estico a mão para receber a caixa.

Ela enfia a caixa debaixo do braço.

— Darling... — Não escondo a ameaça na voz.

— Me leve com você.

— Quê?

— Me leve de volta.

— Por quê?

Ela examina a carnificina e parece intrigada.

— Tem mais coisa além da sombra.

— O que quer dizer?

— Eu… eu não sei. Não passa de um pressentimento. Mas quando Tilly entrou na minha mente…

— Sim?

— Acho que ela está armando algo. Contra você.

— Parece que sim. — Aparentemente, tal mãe, tal filha.

— Então, talvez eu possa ajudar. Ajudei a encontrar sua sombra.

Meu instinto diz para deixá-la aqui. O que quer que me espere na Terra do Nunca, não é nada bom.

— Você ficará mais segura aqui.

Seu olhar endurece.

— Não quero segurança.

De repente, lembro-me de como a dobrei por cima da mesa. A Darlingzinha gosta de ser tratada com vilania.

Estarei mentindo se disser que não quero. Quero sua boceta molhadinha engolindo meu pau.

Assim que a conheci, sabia que era diferente. Não sei o que ela tem, mas me lembra de algo antigo e esquecido.

— Tenho regras — digo. — Regras que devem ser cumpridas.

Ela sorri docemente e já percebo que será um problema.

— Sei seguir regras.

— Você sabe, mas vai seguir?

Vane retorna e pega outro corpo de Brownie.

— Os gêmeos já abriram uma cova.

Faço que sim com a cabeça. Se ele pensa que vou enterrar cadáveres, está redondamente enganado.

— Me leve de volta com você — a Darling repete.

Sempre fomos uma casa dura e fria… seria tão ruim assim ter alguém macio, alguém para compartilhar? Meter nela, fazê-la tremer, fazê-la implorar por porra de Garoto Perdido.

Não sou um cara legal e quero fazer coisas muito feias com Winnie. E, agora com minha sombra, as possibilidades são infinitas.

— Tá bom. Pode voltar comigo. — Ela sorri, triunfante. — Não fique metida.

— Não vou ficar, só quero ser metida.

— Menina Darling da boca suja. Agora vem, vamos supervisionar o enterro dos Brownies, que a noite ainda é uma criança.

— Primeiro — ela me estende a caixa —, acho que isto pertence a você.

Em todos os anos em que procurei por minha sombra, nunca cheguei a senti-la. Eu a desejava, mas, onde ela costuma estar, só restava o vazio.

Posso senti-la agora.

A energia contorcendo-se dentro daquela caixa. Pego-a.

— Obrigado.

A Darling sorri.

— De nada, Peter Pan.

32

WINNIE

Algo em mamãe parece ter se acalmado. Como se ela fosse um pião que, enfim, parou de girar.

O luar ilumina a cena macabra do nosso quintal. Há um buraco gigante no centro, onde os corpos vão sendo empilhados.

— Não é arriscado? — pergunto. E também... não dá para acreditar que estão no meu quintal: dois príncipes fae, um mito e uma Sombra da Morte enterrando corpos.

Não sei quando ou como me tornei a pessoa que não se impressiona com esse tipo de coisa.

— Não se preocupe, Darling — avisa Kas. — Brownies viram poeira em uma semana.

Enquanto os meninos terminam o trabalho sujo, eu me viro para mamãe.

— Preciso te contar uma coisa.

— O que foi, bebê? — Ela está mais pálida do que antes, mas o rosto está limpo, bem como o cabelo, então claramente ela se cuida quando não tem que cuidar de mim.

— Eu vou voltar — conto. — Para a Terra do Nunca.

Seus olhos estão sobre mim, mas não tenho certeza de que me enxergam.

— Quer vir comigo?

Não perguntei antes a Pan, mas não ligo. A casa tem muitos quartos vazios. Tem espaço de sobra para ela.

— Ir para a Terra do Nunca? — pergunta ela enquanto olha os meninos. Bash está sem camisa, cavando, todos os músculos de suas costas fazendo hora extra.

Nossa, que visão. Um príncipe fae que acho que é meu. Não tenho certeza ainda. Não sei as regras a respeito disso, mas vou ter tempo para aprender.

Mas uma certeza já absoluta é que vou lutar com quem quer que tente tirá-lo de mim.

Posso saber só o básico de quem são Peter Pan e os Garotos Perdidos, mas o instinto não mente, e sinto que são meus.

Eles *são* meus.

— Acho que não — diz mamãe.

— Sério?

— Eu... aqui... ouça...

— Estou ouvindo, mamãe.

— Eu gosto daqui. — Ela olha para a casa pincelada pelo luar. — Me sinto melhor.

— Mas... você vai ficar sozinha.

— Vou ficar bem.

Fui adulta antes de ter sido a chance de ser criança. Sempre cuidei da minha mãe, mesmo sem querer. Suas crises sem fim, a instabilidade, odiava tudo isso. E, embora quisesse escapar daqui, agora que tenho a possibilidade, estou aterrorizada.

— Mãe...

— Vá. — Ela aperta minha mão. — Vá para a Terra do Nunca. As sereias ficarão felizes de vê-la de novo.

Sereias? Ah, é, as criaturas da lagoa.

— Tem certeza?

— Sim.

Puxo-a para um abraço.

— Sempre que possível, virei te ver. — Assim que vencer meu medo de saltar de um penhasco.

Ela sorri para si mesma.

— Eu ficaria feliz, bebê.

Quando terminam de fechar o buraco e após limparem todo o sangue de Brownie do chão, os rapazes ficam parados ali fora sob a lua, como visões de guerra, cobertos de sangue e terra, envoltos pela fumaça de vários cigarros.

— Se precisar de mim — começo a falar para mamãe, mas me recordo de que não há como nos comunicarmos. Não há celulares na Terra do Nunca. Nenhuma forma de comunicação.

— Vai ficar tudo bem, Winnie. — Ela me abraça e, quando se afasta, confessa: — Quer saber um segredo?

— Sim.

— Eu também queria ficar, antes de destruírem minha cabeça.

— Sério?

— Sinto falta da magia. — Ela fecha os olhos e se afunda em memórias. — E das…

— Amoras — chuto.

— Isso.

— Trago quando eu voltar.

— E vamos fazer tortas e bolos, e dar uma festa.

— Se é isso o que você quer.

Seus olhos ficam vítreos outra vez.

— Por que não vai fazer um chá e descansar?

— Ok, querida.

— Amo você, mãe.

— Também amo você. — Ela se afasta e fecha a porta. Eu fico na varanda por um bom tempo, pensando se estou tomando a decisão correta.

Ela ficará bem sem mim?

Minha mãe me amava ferozmente, mas esse amor machucava.

Não sei como é ser amada da maneira correta ou escolher a dor em vez de sofrer a dor.

Talvez amor seja isto — *escolher* a dor que vem com o prazer.

Volto para os meninos. Sinto em sua energia que estão impacientes, mas não querem me apressar.

— Estou pronta.

Peter Pan pega minha mão e me guia pela noite, a caixinha que contém sua sombra aninhada sob seu braço.

EPÍLOGO

QUAL SERÁ A SENSAÇÃO DE TER MINHA SOMBRA DE VOLTA? Faz tanto tempo que acho que esqueci como é me sentir completo e cheio de magia. Conseguir criar o que quiser do nada. Sentir o coração da ilha batendo.

De repente, estou desesperado e aterrorizado ao mesmo tempo.

Estamos de volta ao loft. Vane serve-nos drinques. Os gêmeos estão no sofá com a Darling entre eles.

Fiz muitas maldades nesta vida e acreditar que serei tão sortudo a ponto de ter coisas incríveis parece ingenuidade.

Vane se aproxima com os copos. Ele escolheu um uísque envelhecido que tem cheiro de madeira defumada e caramelo. Dou um gole, deliciando-me com o calor.

— Prontos? — Vane pergunta ao se jogar em uma das cadeiras de couro.

— Não tem como ficarmos mais prontos, suspeito — comenta Bash.

— Qual é a aparência desse negócio? — Darling questiona. — Tipo, tem um formato ou é só uma fumacinha?

— É uma sombra como qualquer outra — explico. — Mas a questão é: será que Tinker Bell a amarrou a algo quando a colocou na caixa ou ela vai saltar para longe quando abrirmos?

— Estaremos prontos para dar o bote — avisa Vane. — Tem nossa palavra.

Dou outro gole na bebida e coloco o copo na mesa entre nós, bem ao lado da caixinha. Há um único fecho, sem cadeado.

Meu coração bate tão rápido que sinto o pulsar nos dentes.

Damos um suspiro coletivo quando abro o fecho e ponho os dedos sobre a tampa.

Estamos todos inclinados para a frente. A antecipação e a excitação tornam-se palpáveis.

É isto. É isto que todos esperávamos.

Abro a tampa…

… e duas sombras saltam.

AGRADECIMENTOS

A série "Vicious Lost Boys" não teria sido possível sem a ajuda de vários leitores.

Creio que todos podemos concordar que a maneira como os povos nativos foram retratados na obra original é bastante problemática. Quando me propus a recontar a história de Peter Pan, era importante para mim manter a presença dos nativos na ilha, mas era crucial fazê-lo da maneira correta.

Tenho de agradecer à sensibilidade de diversos leitores que me ajudaram a retratar os gêmeos e a história de seus familiares na série de um modo acurado e respeitoso para com as culturas nativas, mesmo que os gêmeos residam em um mundo de fantasia.

Portanto, quero agradecer imensamente a Cassandra Hinojosa, DeLane Chapman, Kylee Hoffman e Holly Senn. O auxílio de vocês foi e continua sendo extremamente útil e eu lhes sou muito grata!

Quaisquer erros ou imprecisões remanescentes neste livro cabem inteiramente a mim.